MULHERES
NÃO SÃO CHATAS,
MULHERES
ESTÃO EXAUSTAS

RUTH MANUS

MULHERES NÃO SÃO CHATAS, MULHERES ESTÃO EXAUSTAS

DIREITOS, TRABALHO, FAMÍLIA E OUTRAS INQUIETAÇÕES DA MULHER DO SÉCULO XXI

SEXTANTE

créditos dos poemas: p.13: ANINHA E SUAS PEDRAS – In: *Vintém de cobre*, de Cora
Coralina – poema autorizado pelos herdeiros da autora; p.63: O poema de Amália
Rodrigues pertence ao livro *Versos* de Amália Rodrigues, Edições Cotovia, Lisboa,
1997, 2018. Todos os direitos reservados. Copyright: Amália Rodrigues e Edições
Cotovia, Lda, 1977; p.157: COM LICENÇA POÉTICA – In: *Bagagem*, de Adélia
Prado, Editora Record, Rio de Janeiro; © by Adélia Prado

edição: Nana Vaz de Castro

revisão: Ana Grillo, Rafaella Lemos e Tereza da Rocha

projeto gráfico, diagramação e capa: Natali Nabekura

imagem de capa: Moschiorini/ Shutterstock

impressão e acabamento: Cromosete Gráfica e Editora Ltda.

CIP-BRASIL. CATALOGAÇÃO NA PUBLICAÇÃO
SINDICATO NACIONAL DOS EDITORES DE LIVROS, RJ

M251m   Manus, Ruth
            Mulheres não são chatas, mulheres estão exaustas/ Ruth Manus.
         Rio de Janeiro: Sextante, 2019.
            192p.; 14 x 21cm.

            Inclui bibliografia
            ISBN 978-85-431-0864-3

            1. Mulheres - Conduta. 2. Mulheres - Condições sociais. 3. Papel
         social. I. Título.

19-59727   CDD: 305.4
                                                    CDU: 316.346.2-055.2

Todos os direitos reservados, no Brasil,
por GMT Editores Ltda.
Rua Voluntários da Pátria, 45 – Gr. 1.404 – Botafogo
22270-000 – Rio de Janeiro – RJ
Tel.: (21) 2538-4100 – Fax: (21) 2286-9244
E-mail: atendimento@sextante.com.br
www.sextante.com.br

À Maró, minha mãe.
Porque ainda não conheci nada maior do que ela.

Sumário

Quem sou eu e por que estou exausta 10

Tantas lutas 12

JÁ SENTIU SUA DOSE DE CULPA HOJE? 14

Luta, substantivo feminino 15

É autossabotagem que chama? 16

Culpa, substantivo feminino 19

Sentir-se insubstituível é uma forma de prisão 20

COMO VOCÊ FOI PARAR NO FINAL DA FILA? 23

Se você não nasceu homem, você já nasceu perdendo 26

Meninas realmente acreditam que podem ser tudo
o que quiserem? 27

Coma suas bolachinhas, amiga 31

FEMINISMO E LIBERDADE 34

É liberdade que chama? 34

Somos todas Olympe 36

Nada veio de graça 39

Somos todas o "outro" 40

Sororidade: somos todas irmãs 41

Sem medo de se dizer feminista 42

SOMOS FORTES PORQUE SOMOS DIFERENTES 45

A caixa da Barbie 47

Rasgando a caixa da Barbie 48

Mulheres não são inimigas **51**

Por que a diversidade importa **53**

Competir x Apoiar **55**

Precisamos parar de julgar outras mulheres **57**

Seja o que você quiser ser, minha filha **59**

Diversas famílias **62**

Não era assim que eu me imaginava nesta idade **64**

Spoiler: você está sonhando sonhos que não são seus **66**

E eu lá quero essa vida? **67**

Dá um tempo, que a tristeza vai passar **68**

E os namoradinhos? **70**

Vida de mulher não é patrimônio público **72**

Por que é que você está me perguntando isso? **73**

Quando sai esse casamento? **75**

União, interseção e diferença **76**

HOMENS. NÃO. SÃO. BEBÊS. **79**

Quando é que vem um bebê? **82**

Não ter filhos: tudo bem **84**

A maternidade tem muitas faces **86**

Limites, seus lindos **88**

Estar exausta não significa deixar de amar **89**

Trabalho, filhos e culpa **92**

Chega de julgar as mães **95**

A casa, o caos e as tarefas domésticas **97**

Tire o verbo "ajudar" do seu vocabulário **98**

O seu jeito não é o único jeito possível **101**

Se a casa é de todos, as tarefas também são **103**

Diálogo, diálogo, diálogo **106**

Separação e divórcio 107

    Antes de qualquer coisa: está tudo bem 108

    Violência doméstica: quando não está tudo bem 110

    Abrace sua vulnerabilidade 112

    Casamento não é realização 114

Muitos trabalhos 116

Trabalhar para não ficar louca ou ficar louca
por causa do trabalho? 118

    A farsa do sucesso 360 graus 118

    A *man's world* 120

    Trabalhos iguais, salários diferentes 124

    Manterrupting, *mansplaining* e *bropriating* 126

Matar um leão por dia 130

    Poder, substantivo masculino 131

    Síndrome do Impostor 133

    O aterrorizante desafio de pedir aumento 136

Vários corpos 138

Padrões estéticos e mágoas 140

    O embuste da meritocracia na beleza 143

    A ansiedade incessante acerca da própria imagem 145

Quem está interessado na sua baixa autoestima? 147

    A indústria do mal-estar 149

Você precisa mesmo odiar o seu corpo? 152

    Precisamos ver mulheres "normais" 154

Múltiplas vozes 156

NÓS FALAMOS DEMAIS? **158**

    O jogo da autocensura prévia **159**

    Socorro. Eu preciso falar com um homem. **160**

    MAS QUE INFERNO, ME DEIXEM FALAR! **161**

    Todos nós temos o mesmo direito de falar **162**

O QUE ESTÁ CONTIDO EM CADA UM DOS NOSSOS SILÊNCIOS? **164**

    Silenciar alguém é demonstrar poder **165**

    Magda, Lôraburra, Puta Disfarçada e a mulher "feita apenas
para amar, para sofrer pelo seu amor, e para ser só perdão" **166**

    O custo do nosso silêncio **171**

Pequenas pílulas de liberdade 173

Agradecimentos 181

Bibliografia 183

Notas 186

Quem sou eu e por que estou exausta

(Não pule esta parte! Nós precisamos nos conhecer antes de começar a conversa.)

Olá. Muito prazer. Eu sou a Ruth, autora deste livro. Sou mulher e estou exausta, se é que isso não é um pleonasmo. Seja bem-vinda a estas páginas.

Não sei bem como este livro foi parar nas suas mãos. Talvez você tenha comprado por já acompanhar algumas das coisas que eu escrevo. Ou talvez você não faça a mais pálida ideia de quem sou ou do que faço. Talvez você tenha comprado por gostar do título – e por também estar exausta. Talvez alguém tenha te emprestado. Não sei. O fato é que, se por alguma razão você está lendo isso, nós precisamos nos conhecer.

Sou advogada, professora de Direito e escritora. Escrevo em jornais e revistas, e este é o meu quinto livro. Tenho 30 anos neste momento, mas acho que este livro só vai ser lançado quando eu tiver 31. Sempre estive cercada de mulheres fantásticas (mãe, avós, irmãs, tias) e morei em São Paulo até os 26 anos, quando me mudei para Lisboa. Vivo uma vida animada, cruzando o Atlântico toda hora para trabalhos e abraços. Me envolvi com as questões de gênero por razões emocionais, sociais, literárias, jurídicas e acadêmicas. O feminismo, a emancipação feminina e a sororidade fazem parte da minha vida em 360 graus.

Para escrever este livro, fiz questão de ouvir muitas mulheres. De ouvir histórias diferentes das minhas, de me colocar no lugar delas. E acho que foi exatamente por causa disso que consegui fazer um trabalho do qual me orgulho. O título deste livro tem uma longa história. Foi o título de um texto meu para o jornal português *Observador* que depois se transformou numa palestra que fiz várias vezes nos últimos anos. Deu tempo de pensar, repensar, escrever, reescrever. Esta frase – "Mulheres não são chatas, mulheres estão exaustas" – vem sendo uma companheira diária que me faz refletir sobre os papéis que desempenhamos voluntária ou involuntariamente. Acima de tudo, ela me faz questionar.

Por que estamos tão cansadas? Por que sentimos que o mundo está pendurado nos nossos ombros? Por que ainda temos tantos medos e tantas dúvidas, mesmo nos assuntos mais básicos? Por que ainda pensamos tantas vezes antes de dizer alguma coisa, especialmente quando o interlocutor é um homem? Por que ainda achamos que nosso trabalho é um concorrente da nossa família? Por que ainda associamos casamento e filhos a uma única forma de felicidade? Por que ainda nos cobramos um tipo de corpo que sabemos que não precisamos nem conseguimos ter?

Enfim, só de pensar nisso tudo já dá para ficar exausta. E não teria como não ficar. Mas pode ser mais fácil. Pode ser mais leve se a gente abandonar pelo caminho alguns penduricalhos que nunca deveriam ter ido parar em cima da gente – e que realmente não precisam estar ali. Vamos tentar, juntas, nos libertar deles.

♥

P.S.: Eu estou falando com você no feminino, mas sei que você também pode ser do sexo masculino. Só que, como imagino que a imensa maioria dos leitores deste livro seja de mulheres, falarei sempre no feminino, ok? Nós, mulheres, passamos a vida sendo tratadas como "o leitor", "o aluno", "o trabalhador", mesmo que sejamos 999 mulheres e apenas um homem. Neste livro vamos nos dar ao luxo de ser o centro da conversa, mesmo indo contra o padrão culto da língua portuguesa. Mas saibam, amigos homens, vocês são igualmente bem-vindos.

Tantas lutas

Ajuntando novas pedras
e construindo novos poemas.

Recria tua vida, sempre, sempre.
Remove pedras e planta roseiras e faz doces. Recomeça.

Faz de tua vida mesquinha
um poema.
E viverás no coração dos jovens
e na memória das gerações que hão de vir.

Esta fonte é para uso de todos os sedentos.
Toma a tua parte.
Vem a estas páginas
e não entraves seu uso
aos que têm sede.

– Cora Coralina
"Aninha e suas pedras", in: *Vintém de cobre*

Já sentiu sua dose de culpa hoje?

COMEÇO ESTA CONVERSA com uma pequena lista de todas as culpas que eu estou sentindo neste exato momento: me sinto culpada porque deveria ter ido à academia hoje cedo, mas não deu tempo; me sinto culpada por não ter ligado para minha mãe hoje de manhã; me sinto culpada por não ter trazido marmita para o trabalho e por saber que vou comer fora no almoço, gastando mais dinheiro e consumindo mais calorias do que deveria; me sinto culpada por ter almoçado lasanha ontem e por ter comido meio balde de pipoca no cinema no domingo; me sinto culpada por ter comprado um casaco novo pra mim na semana passada e saído do shopping sem resolver o problema das meias do meu marido nem do pijama novo da minha enteada; me sinto culpada porque sei que vou trabalhar até tarde e demorar para chegar em casa; me sinto culpada porque vou viajar a trabalho daqui a uns dias e não estarei presente numa apresentação da escola da minha enteada; me sinto culpada porque estou há uma semana dizendo que vou fazer a unha e nunca faço; me sinto culpada porque não lavei o cabelo hoje cedo e usei um daqueles xampus secos que, no fundo, não adiantam nada; me sinto culpada porque acho sinceramente que vou atrasar o prazo de entrega deste livro, mas esperamos que a minha editora não nos ouça – nem nos leia, no caso.

Feito esse desabafo, pelo qual peço desculpas às leitoras, acho que podemos começar. A questão é que sabemos que existe uma relação muito, muito íntima entre as mulheres e essa tal de culpa. Não estou dizendo que os homens não saibam o que é culpa, ou que nunca convivam com esse sentimento. Mas, por alguma razão, a tal da culpa só aparece para eles de vez em quando (como, aliás, deveria ser com todos nós). Conosco, no entanto, ela é uma espécie de eterna companheira.

É como se ela estivesse pendurada numa correntinha ao redor do nosso pescoço. Um pingente de culpa que a gente nunca tira. Ele fica ali, e a cada vez que a gente se olha no espelho, lá está a culpa, lembrando de tudo o que você não fez, de tudo o que você, em tese, deveria ter feito, de tudo o que você comeu, de todos os momentos importantes nos quais você não esteve presente, de todo trabalho acumulado na sua mesa, de todas as roupas acumuladas numa cadeira qualquer no seu quarto.

Será que nós somos completamente neuróticas? Será que essa angústia que se instala em nosso peito a cada mínimo tropeço não é nada além de puro exagero ou drama, como frequentemente ouvimos dos homens com os quais convivemos? Será que a gente realmente está fazendo tempestade em copo d'água?

Não me parece. A sociedade na qual estamos inseridas é machista, sim, e é patriarcal, sim, e é cruel com as mulheres, sim. Vamos fazer uma pausa para pensar melhor a esse respeito.

Luta, substantivo feminino

"As coisas estão melhorando bastante para as mulheres" é uma frase que eu escuto bastante. Mas será mesmo? Hum. Vamos conversar sobre isso.

Primeiramente, não podemos tomar a nossa experiência de vida como base para falar pelas mulheres como um todo. Basta olhar para o meu caso: sou uma mulher branca, heterossexual, de classe média-alta, vivendo numa capital no Ocidente. É uma ilusão egoísta eu achar que, se as coisas estão lentamente melhorando para mim, está tudo melhorando para todas. Eu sou uma privilegiada e não posso me esquecer disso nunca. Há mulheres negras, que passam por coisas pelas quais eu nunca passarei. Há mulheres homossexuais, que sofrem violências que eu nunca sofri. Há mulheres com deficiências, que enfrentam obstáculos que eu nunca enfrentei. Há mulheres que vivem na pobreza, mulheres cuja própria religião ainda legitima uma série de violências, mulheres que vivem em regiões de guerra ou em outras condições que as colocam em imenso risco.

Como mencionaremos com mais calma adiante, quando falamos em "mulheres", estamos falando de todas as mulheres. E a vida dessas que eu mencionei frequentemente não tem nada a ver com a minha. Se as coisas estão melhorando um pouquinho para mim, muito provavelmente ainda estão muito longe de melhorar para elas.

Neste livro, eu não quero que haja "eu" e "elas". Então, quando falo em "mulheres", no plural, a ideia é manter o olhar nessa pluralidade de existências, compreendendo que a luta tem que ser por todas nós, e não apenas por algumas.

Em segundo lugar, quando achamos que as coisas estão melhorando, acabamos por relaxar. E não, minhas queridas, as coisas não estão melhorando. Somos nós que estamos lutando. São as mulheres que diariamente batalham pelos seus direitos, pela igualdade, pela segurança, pela liberdade. As coisas não melhoram sozinhas. É preciso que algumas de nós berrem #metoo #deixaelatrabalhar #elenão e tantas outras coisas que denunciam nossos medos, riscos e dificuldades. É a nossa luta diária por nós e pelas outras mulheres que permite que, a passos de tartaruga, as coisas comecem a evoluir.

É autossabotagem que chama?

Como eu ia dizendo, vivemos numa sociedade machista, o que não é novidade para ninguém. E não, os homens, de um modo geral, não são nossos inimigos. Muitas de nós até dormem de mãos dadas com essas criaturas adoráveis. Mas todas sabemos que historicamente o poder dos homens – sobretudo dos homens brancos – nunca foi ameaçado. E que, especialmente nas últimas décadas, as mulheres começaram a buscar seu espaço no mercado de trabalho, nos cargos do governo e em tantas outras estruturas de poder nas quais normalmente só os homens transitavam. Estamos gerando um incômodo e sabemos bem disso.

Neste tal mundo competitivo no qual vivemos, existe aquele eterno raciocínio de que é sempre bom enfraquecer os nossos concorrentes, certo? Pensem comigo: alguém que esteja sempre angustiado por essa tal de culpa não se torna automaticamente um concorrente mais vulnerável?

Imagine esta situação: certo dia, para terminar um projeto, um homem e uma mulher que trabalham na mesma equipe precisam ficar até mais tarde no trabalho. Ambos têm filhos de 5 anos. Ambos amam imensamente seus filhos e gostariam de estar com eles em casa. O filho do homem está em casa com a mãe. O filho da mulher está em casa com o pai. Qual dos dois é invadido pelo sentimento de culpa? O homem, que está na sua posição histórica de provedor, com a esposa ou companheira em casa cuidando do filho, ou a mulher, que inverte toda essa posição milenar?

Uma sociedade machista e patriarcal, na qual os homens ainda estão com o poder nas mãos, tem todo o interesse na fragilização da mulher. E o sentimento constante de culpa – com o trabalho, com a família, com o dinheiro, com o corpo, com a imagem, com a aparência – nos fragiliza dia após dia.

Eu mesma já escrevi um texto no jornal português *Observador* falando exatamente sobre essa sensação de culpa que muitas mulheres começam a sentir acerca do próprio sucesso.

É uma epidemia. A cada dia que passa ouço uma nova história acerca de uma mulher que começou a se sentir culpada pelo próprio sucesso em vez de celebrar as suas conquistas com satisfação. Tem começado cedo, dentro das escolas, e tem acabado tarde, até mesmo depois da aposentadoria.

As justificativas são muitas: não quero que meu marido se sinta diminuído, não quero que meu chefe ache que eu ameaço o cargo dele, não quero que meu pai saiba que estou ganhando mais do que ele, não quero que meus filhos achem que eu ligo mais para o trabalho do que para eles, não quero que minhas amigas se comparem comigo e fiquem frustradas, não quero que meus filhos pensem que eu não tenho tempo para os meus netos.

Trata-se de uma autossabotagem, uma vez que nenhuma dessas mulheres está infeliz com o seu sucesso – muito pelo contrário –, mas sim se sentindo culpada por ele, por uma série de ângulos. As origens dessa culpa estão, obviamente, no pensamento machista que perpetua a ideia de que o homem que alcança o sucesso é digno de respeito e admiração, enquanto a mulher que alcança o sucesso é tida como egocêntrica ou egoísta, por teoricamente colocar seu trabalho na frente do casamento, da família, do planejamento familiar e até mesmo de questões estéticas.

E, assim, milhares de mulheres começam a tentar se convencer de que suas conquistas profissionais não devem ser muito celebradas nem muito divulgadas e, acima de tudo, não devem ser muito desejadas. Culpam-se por serem boas no que fazem, por tornarem-se essenciais às suas equipes, por serem referências nas suas áreas, por serem bem remuneradas pelo que fazem – lembrando sempre que, por mais bem remunerada que seja uma mulher, seu salário sempre estará aquém do que seria para um homem na mesma posição.

Surge, por vezes, na cabeça dessas mulheres, a falsa ideia de que aquilo nunca foi merecido. A famosa "Síndrome do Impostor", que tenta nos convencer de que só chegamos onde chegamos por um golpe de sorte, pelas portas que nos foram abertas ou por ironia do destino. Nunca por mérito. Um estranho mecanismo que nos faz sentir uma culpa duplicada, seguida da ideia de que talvez o correto fosse tirar nosso time de campo.

Precisamos olhar para o problema da culpa. Precisamos parar com as perguntas do tipo "mas seu marido não reclama que você viaje tanto a trabalho?", "mas seus filhos não se queixam dos dias em que você chega tarde?". Cada mulher sabe das próprias escolhas, como cada homem *sabe das suas. Precisamos parar de abrir espaço para que os outros – sobretudo os homens – coloquem nossas escolhas em questão.*[1]

Nós somos responsáveis pelas nossas escolhas, resultem elas em sucessos ou fracassos. Ninguém vai assumir essas dores ou esses prazeres por nós. Então ao mesmo tempo temos o direito e a obrigação de reger as nossas vidas. Não é justo que a gente se culpe quando dá errado e é ainda menos justo a gente se culpar quando dá certo.

Culpa, substantivo feminino

Outro dia eu me vi em uma cena muito curiosa. Cheguei à academia, eram umas oito da manhã. Entrei no vestiário e havia mais três mulheres lá dentro, uma de uns 35 anos, uma de 40 e poucos, outra de 40 e muitos. A mais velha já estava de banho tomado e quase pronta para ir embora. Havia apenas um detalhe: ela estava toda vestida de roupa social, mas ainda com a touca de banho na cabeça. Uma cena muito peculiar.

Alguns minutos depois ela passou em frente a um espelho, se viu, deu um grito e começou a rir de si mesma, pois percebeu que ainda estava com a touca. Nós, as outras três, começamos a rir junto. E então ela passou a desabafar sobre essa coisa de já estar exausta e tão atrapalhada às oito da manhã. Disse que a filha de 16 anos tinha uma prova, mas não queria ir para a escola porque estava com cólicas, e o filho mais novo também começou a resmungar que não iria se a irmã não fosse. Enquanto isso, seu marido olhava e-mails no celular como se não tivesse nada a ver com o que estava acontecendo. Então ela simplesmente disse "vão os dois para a escola, sem discussão". Deixou-os lá e foi para a academia, culpada por ter mandado a filha para a escola com cólicas menstruais.

Na sequência, a que tinha uns 35 anos comentou sobre seu filho de 1 ano e meio, que estava com a babá, e que ela se sentia culpada por perder essas horinhas com ele de manhã, mas estava se sentindo mal com os quilos que ainda não perdera da gravidez e achava que realmente precisava voltar a fazer exercício físico.

Depois foi a minha vez. Falei que inicialmente ia passar o dia na empresa do meu marido, ajudando-o com umas coisas, mas lembrei que tinha um prazo do escritório que ia vencer e uma ex--colega de trabalho brasileira estava em Lisboa, mas iria embora no dia seguinte, então era o último dia para tomar um café com ela. Decidi não ir com ele, mas me senti culpada porque tinha dito que ajudaria.

Éramos desconhecidas, partilhando nossas culpas num vestiá-rio de academia. Fico imaginando qual a probabilidade de essa cena se reproduzir num vestiário masculino. Homens dizendo para estranhos que se sentem muito culpados por suas ausências com a família, pelos quilos a mais que ganharam nos últimos anos, pelo excesso de trabalho ou pela falta de firmeza das suas barrigas.

E sabemos que não se trata apenas de um tipo de diálogo não habitual entre os homens, mas sim de um *sentimento* pouco habitual entre os homens. Alguns deles reconhecem as suas falhas, têm consciência dos erros que cometem, mas culpa... Culpa é um substantivo feminino. Será coincidência?

Sentir-se insubstituível é uma forma de prisão

A psicóloga e ativista Mafoane Odara, no seu TEDx sobre novas formas de maternidade e paternidade, conta que, quando voltou ao trabalho após a sua licença-maternidade, ouviu a seguinte pergunta: "Mas com quem você deixou seu filho?" Ela respondeu, contente, que a criança tinha ficado com o marido dela – e pai da criança. E a pessoa automaticamente respondeu: "Ah, mas não tinha ninguém melhor para você deixar?"

Seria cômico se não fosse trágico. As mulheres já têm um papel tão exaustivo com a maternidade, que chega-se ao cúmulo de achar que deixar a criança com o pai pode ser uma decisão egoísta ou inconsequente. E aí lá vem ela, a culpa. Culpa por deixar as crianças com o pai, ou com os avós, ou na creche, para poder voltar ao trabalho. Será possível uma coisa dessas?

Todo mundo gosta de se sentir insubstituível, mas será que nós somos assim tão indispensáveis? Por incrível que pareça, às vezes, se não estivermos lá, alguém vai fazer o trabalho, vai cuidar das crianças, a casa estará de pé. O mundo vai continuar rodando sem a gente. A crença de que somos insubstituíveis e indispensáveis não apenas não é uma coisa boa como é uma forma de prisão.

Certa vez fui ao Brasil (eu vivo em Lisboa, meu marido é português) fazer uma palestra no fim de julho e já tinha outra marcada no fim de setembro. Então me chamaram para fazer uma terceira no começo de setembro. E na minha cabeça começou o seguinte raciocínio:

"Eu já vou pro Brasil em julho... E fico até 3 de agosto. E depois, dia 20 de setembro já embarco de novo para o Brasil, ou seja, não vou ter nem um mês e meio quieta em Portugal. Bom, se eu tiver que passar mais uma semana no Brasil no meio desse período... Vou estar ausente mais uma vez de casa. E do escritório. E não vou trabalhar como deveria na minha tese de doutorado. Me sinto culpada... Por ficar longe de casa, do meu marido, da minha enteada... E por não manter minha rotina normal de trabalho... E de estudo... Enfim. Já tenho a resposta: vou recusar o convite."

Fui almoçar sozinha ("mente vazia, oficina do diabo") e o debate prosseguiu, acalorado:

"Peraí, mas eu também me sinto culpada por dizer não. Porque se eu recusar, estarei negando uma boa oportunidade de trabalho. E vou me sentir culpada por não estar sendo uma mulher-independente-que-pega-suas-coisas-e-simplesmente-vai-e-dane-se-a-casa-a-louça-a-samambaia-e-tudo-o-mais-porque-ninguém-tem-que-depender-de-mim-nem-eu-deles. Sem falar que me sinto culpada de recusar um dinheirinho bom."

Então decidi: "Vou aceitar."

Mas, nessa hora, vacilei: "Não, espera, preciso pensar."

Quando percebi, eu não estava fazendo um duelo de vontades,

eu estava fazendo *um duelo de culpas*. Em nenhum momento eu pensava no que me motivava a ir ou pesava "o que era bom em ir" *versus* "o que era bom em ficar". Os amores, as saudades, o dinheiro, as oportunidades. Não! Era tudo para o negativo: qual das opções faz com que eu me sinta um pouquinho menos culpada?

Afinal decidi aceitar. Mas não foi como num passe de mágica: "Ai, decidi, agora estou ótima." Não. Rolou – como sempre rola – toda uma crise de culpas e responsabilidades. Às vezes é assim com uma viagem transcontinental, às vezes é assim com uma cerveja às 19h de sexta-feira com duas amigas. Será? Será que eu posso? Será que eu devo? Mil crises e perguntas. E quando a gente decide ir, o que acontece? A cada gole de cerveja, 6% de álcool e 94% de culpa. Como não estar exausta?

Como você foi parar no final da fila?

 Não sei bem como isso aconteceu. Só sei que um belo dia eu percebi que, se as pessoas e os assuntos dos quais tenho que cuidar no meu dia a dia fossem colocados numa fila, por ordem de importância e da prioridade que dou para cada um, eu certamente estaria no último lugar.

Sei que muita gente deve pensar que isso não é possível, que obviamente eu cuido, com um belo grau de prioridade, de uma série de coisas que, além de serem minhas, são do meu total interesse. É verdade. Mas depois de quase 30 anos eu descobri que existe uma grande diferença entre "eu" e "assuntos meus".

Somos levadas a fazer uma confusão muito perigosa: quando passamos horas no trabalho, em prejuízo do convívio com a família, frequentemente pensamos que esse tempo foi efetivamente dedicado "a nós", já que, afinal, o trabalho e a carreira são um projeto nosso, certo? Sim. São, de fato, um projeto nosso. Mas oito horas no trabalho não são oito horas dedicadas a nós. São oito horas dedicadas ao trabalho. Percebem a diferença?

O mesmo acontece com os namoros e casamentos. Passar um delicioso fim de semana a dois, regando a linda plantinha do afeto, é mesmo uma delícia. Mas esse também não é um tempo dedicado a nós mesmas, mas sim um tempo dedicado ao relacionamento. Frequentemente confundimos os momentos de prazer com o tempo de qualidade que dedicamos às nossas próprias questões. O fato de passar um fim de semana gostoso na companhia de alguém amado pode nos revigorar para uma segunda-feira, mas não significa minimamente que tenhamos cuidado de nós mesmas durante aquele sábado e aquele domingo.

A fila da minha vida estava mais ou menos assim quando me dei conta de tudo isso: trabalho, doutorado, casamento, enteada, demais membros da família, amigos, casa, novos projetos e... Falta alguma coisa? Sim. Faltava eu. E olha que eu amo loucamente todas essas coisas da fila: minha carreira, meus livros, meu escritório, minha vida acadêmica, meu marido, minha enteada, meus pais, irmãos, sobrinhos, avó, tios, primos, amigos, minha casinha, minhas ideias para o futuro. Amo todas essas coisas e pessoas e adoro os momentos que dedico a cada uma delas – mesmo que frequentemente eu fique exausta.

Acontece que, nessa brincadeira, percebi que faltava uma tal de Ruth naquela fila. Essa tal de Ruth andava dormindo pouco, comendo mal, não tinha tempo para ir à academia, para marcar dermatologista nem para encontrar amigos. Estava adiando seu check-up anual havia mais de seis meses. Queria cortar o cabelo, mas isso sempre ficava para depois. Tinha uma dor latente no ombro, que sempre calava com um comprimidinho de Dorflex, que aliviava a situação até o fim do dia. Sabia que deveria fazer fisioterapia, mas ia aguentando enquanto se dopava diariamente. Ruth, que adorava ler, estava lendo pouco, quase nada. Em resumo: Ruth estava no fim da fila. Ou talvez nem estivesse na fila.

Mas se alguém me dissesse algo do tipo "você precisa cuidar de si mesma", eu franziria a testa e daria uma risada, afirmando que cuido muito bem de mim: fui passear com meu marido no fim de semana, dediquei horas à minha tese de doutorado, almocei com uma colega de trabalho, comprei um vaso novo para a sala de casa, visitei minha avó, fiz duas reuniões de trabalho em cafés simpáticos, fui com a minha enteada ao cinema. A minha vida é ótima! Eu não posso me queixar! Tá tudo bem!

Realmente. Tenho uma vida privilegiada e sou grata por isso. Mas percebi que tudo isso que eu achava que eram "coisas para mim", pelo simples fato de serem coisas que eu faço com prazer, não são, efetivamente, cuidar de mim. Meu ombro continuava fora do lugar, eu continuava sem fazer terapia, exame de sangue, ultrassom do abdômen, papanicolau e colposcopia, continuava almoçando qualquer coisa – sem nunca ter tempo para almoçar com verdadeiros amigos –, não indo à academia e ficando chateada com a minha barriga. E com o meu braço. E com a minha bunda. E com a minha ausência com aqueles que amo. Eu continuava com o corte de cabelo atrasado e continuava sem marcar a dermatologista. E o oftalmologista. E a endocrinologista. E dentista. E a limpeza de pele.

Enfim percebi que eu não estava cuidando de mim, porque eu confundia o que era *eu* com o que eram os *meus projetos* e os *meus amores*. E percebi que esse não era um rumo muito bom. Porque não só vamos ficando com uma coisa mal resolvida dentro do peito como vamos ficando efetivamente exaustas, até começar a perder a paciência, a saúde e o rumo.

Em seu livro *Mulheres em ebulição*, a psiquiatra Julie Holland afirma sobre esse assunto:

> As mulheres estão sobrecarregadas e exaustas. Vivem ansiosas e irritadas, além de deprimidas e emocionalmente esgotadas. O humor e a libido estão no fundo do poço; a energia vital é consumida enquanto elas se esforçam para ser bem-sucedidas no trabalho, para dar atenção à família e às centenas de "amigos" virtuais. Elas se culpam por se sentirem assim, pois acreditam que deveriam ser capazes de dar conta de tudo. Sonham em ser perfeitas e tentam fazer parecer fácil equilibrar todas essas demandas, mas não é tão simples. Fomos programadas para ser dinâmicas, cíclicas, temperamentais, efervescentes. Sim, nós, mulheres, vivemos em ponto de ebulição – e isso não é uma fraqueza.[2]

Ou seja, para além do cansaço, convivemos também com a culpa por estarmos cansadas. É uma espécie de dupla punição. Não nos damos descanso nem das atividades nem da angústia por estarmos cansadas. Todo veículo precisa de combustível e de manutenção. Por que nós, mulheres, resolvemos achar que somos máquinas imparáveis, que aguentam tudo?

Existe uma razão para isso.

Se você não nasceu homem, você já nasceu perdendo

A antropóloga e professora Carla Cristina Garcia, em seu livro *Breve história do feminismo*, afirma que, até o Renascimento, a ideia que imperava era a de que existia uma profunda desigualdade tanto das capacidades intelectuais e cognitivas entre homens e mulheres quanto da função dos dois sexos em relação aos papéis sociais.[3]

A questão do "papel" é o que nos interessa em especial por aqui. Sabemos que, historicamente, a sociedade sempre girou em torno do homem, de suas questões, necessidades e desejos. Seja o homem como núcleo da família patriarcal, o homem como nobre, líder ou soberano, o homem como aquele que deteve, ao longo de milênios, o poder patrimonial e não patrimonial. A mulher sempre teve um papel secundário, gravitando em torno das demandas masculinas em vez de ser a protagonista da própria vida.

Ainda sobre o papel da mulher, as professoras Flávia Piovesan, Silvia Pimentel e Beatriz di Giorgi, ao analisarem a posição das mulheres dentro do Direito, chegam a uma conclusão bastante importante. Elas afirmam que a ideologia patriarcal, que coloca a mulher como um ser subalterno em termos sociais e políticos, é a maior responsável pela diferenciação de papéis sociais que se criou em função do gênero, e que os valores androcêntricos* – ainda hoje dominantes, mas cada vez mais questionados – são os determinantes fundamentais das exigências morais que, ao longo do tempo, foram impostas às mulheres.

---

* "Androcentrismo" é o termo cunhado pelo sociólogo norte-americano Lester F. Ward, no começo do século XX, para designar o fato de que a ciência se pautava nas experiências masculinas para tirar conclusões universais, sem atentar para as peculiaridades das experiências vividas pelas mulheres.

Ou seja, até mesmo o sistema jurídico acaba por não reconhecer as particularidades do comportamento e da vida feminina: utiliza-se um padrão masculino como ideal esperando que a mulher se adeque a ele, quando é o sistema que deveria se adequar às diferenças decorrentes do gênero.

Não é de espantar que até hoje consideremos profundamente difícil aceitar a importância que temos – ou que pelo menos deveríamos ter. Os modelos que vimos se repetirem ao longo de todos os anos das nossas vidas nunca nos levaram à valorização das nossas questões, mas sim a uma insistente priorização das questões masculinas que nos rondam, como se elas fossem as primordiais e as nossas fossem meramente acessórias. No Direito há muitos exemplos. O *pátrio poder* (poder do pai na gestão familiar) só foi substituído pelo *poder familiar* (poder exercido de forma conjunta) em 2002. A CLT presume que todo trabalhador é homem, havendo apenas um pequeno capítulo sobre o trabalho da mulher. E por aí vai. Sim. Já dava para prever que nós iríamos parar no final da fila.

Meninas realmente acreditam que podem ser tudo o que quiserem?

É interessante reparar que nós não fomos criadas nem educadas para nos colocarmos no mesmo patamar que os homens. É chover no molhado, mas, na maioria das casas, vimos nossa mãe chegar do trabalho e preparar o jantar. Vimos nosso pai e nossos tios papeando na mesa da sala nos domingos, enquanto nossa mãe e nossas tias levavam os pratos para a cozinha. Percebemos, dia após dia e ano após ano, a diferença no tratamento entre nós, mulheres, e nossos irmãos homens. A liberdade conferida a eles e a nós era gritantemente diferente. Sempre foi. E por mais feminista que possa ter sido a nossa criação em casa, continuamos vendo os homens com o poder em suas mãos, seja nos governos, nas empresas, nas universidades ou na padaria da esquina de casa.

Na escola, nas aulas de matemática, aprendemos fórmulas e

teoremas com nomes de homens: Pitágoras, Tales, Bhaskara. Em física, Arquimedes, Newton, Einstein. Em química aprendemos o diagrama de Linus Pauling, as teorias de Dalton, Thomson, Rutheford, Bohr. Em história passamos por Tutancamon, Júlio Cesar, Pedro Álvares Cabral, Robespierre, Danton, Napoleão, Hitler, Roosevelt, Obama. Em geografia nos apresentaram Humboldt, a teoria demográfica de Thomas Malthus, Milton Santos na geografia do Brasil e os relevos de Aziz Ab Saber. Nas aulas de literatura lusófona começamos com Gil Vicente, depois passamos por Camões, Almeida Garrett, Eça de Queiroz, Castro Alves, Machado de Assis, Raul Pompeia, Olavo Bilac, Mario de Andrade, Oswald de Andrade, Manuel Bandeira, Graciliano Ramos, Jorge Amado, Carlos Drummond de Andrade, Guimarães Rosa, João Cabral de Melo Neto.

Como esperar que as meninas acreditem, de fato, que podem ocupar as mesmas posições que os meninos? Umas pinceladas de Cleópatra, Marie Curie e Rachel de Queiroz são capazes de reverter esse quadro? Temos que entender que isso é importante e é delicado. Sim, o cenário está lentamente mudando, mas em 2019 ainda é com esse quadro que as nossas meninas estudam. É mesmo possível que elas acreditem que podem alcançar tudo, em pé de igualdade com seus colegas do sexo masculino? Como dizem por aí, a educação empurra, mas o exemplo arrasta.

Em janeiro de 2005, Lawrence Summers, na época reitor da Universidade Harvard, afirmou que "o baixo número de mulheres nas matérias científicas era explicado por sua incapacidade inata de ter sucesso nessas áreas".[4] Além do absurdo que a existência de uma fala dessas no século XXI representa, sobretudo no mundo acadêmico, a ciência demonstra, em diversos estudos, que o desenvolvimento cognitivo que permite a compreensão matemática se desenvolve da mesma maneira em crianças de ambos os sexos.

Se um homem na posição de Summers faz uma afirmação dessas em 2005, como se pode esperar que o desempenho escolar e universitário feminino não seja constantemente lesado pelo machismo?

Fica difícil acreditar que meninos e meninas tenham, de fato, as mesmas oportunidades, uma vez que até dentro da sala de aula esse fantasma paira sobre elas.

E esse roteiro conhecido, de ver os homens brilharem enquanto as mulheres ocupam posições secundárias, fez com que a nossa cabeça passasse a ter um raciocínio simples e inevitável: mulheres e homens ocupam posições diferentes. E que passássemos a viver com essa ideia como se ela fosse uma verdade.

Essa dualidade de posições acaba posteriormente nos guiando por caminhos estranhos. Mesmo dentro da nossa casa, acabamos por aceitar a ideia de que o homem tem um papel primordial e que nós seguimos sendo secundárias. Eles, via de regra, já vivem com a convicção dessa primordialidade e nós acabamos por acatá-la. Pensando nisso, escrevi, num texto de 2017 (cujo título foi o que fez nascer este livro), o seguinte:

> Há um certo tempo venho reparando, com alguma admiração, na capacidade masculina de ter hábitos e eventos intransponíveis. É mesmo curioso reparar que na agenda masculina há dezenas de compromissos inadiáveis: a reunião de trabalho, seus minutos calmos para ir ao banheiro pela manhã, o horário do jogo, sua corrida diária, os e-mails que precisam ser respondidos sem falta durante o fim de semana, a cerveja com os amigos.
>
> Há, de fato, uma espécie de barreira que faz com que ninguém ache que seus compromissos podem ser negociados ou que sua agenda possa ser alterada. E quer saber? Eles estão certos. É quase uma questão de sobrevivência. O respeito por essas coisas da rotina, tão banais, mas tão importantes, é o mínimo que todo mundo deveria ter.[5]

Continuo o texto falando sobre o fato de que nós, mulheres, temos agendas que sempre parecem relativas, em contraponto às agendas deles. Se der tempo, fazemos as nossas coisas, se não der, paciência. O bar com as amigas, a manicure, a série a que gostamos de assistir, o exercício físico. Tudo parece poder ficar para depois, enquanto os compromissos masculinos são imperativos.

É como se as nossas reuniões sempre fossem "um pouco mais adiáveis" do que as deles. Criança doente, vazamento na cozinha, reunião escolar, comprar presente de aniversário para a tia Neusa, visita do técnico que vai consertar a máquina de lavar roupa. Quem muda a agenda por causa disso? Quem mexe na programação do próprio dia para fazer com que tudo se ajeite? É claro que há exceções, mas a regra é tão gritante e tão patente que não há como não falarmos sobre isso.

Soma-se a isso aquela tal ideia – já bastante questionada pela ciência – de que a mulher tem uma vocação natural para fazer várias coisas ao mesmo tempo (o tal *multitasking*), enquanto os homens são capazes de fazer apenas e tão somente uma coisa por vez. É assim que nasce aquela crença – nefasta e traiçoeira – de que um homem é incapaz de mandar um e-mail enquanto cuida de uma criança, ao passo que uma mulher é absolutamente capaz de cortar cebolas, falar no telefone, ajudar na lição de casa, trocar a água do cachorro, guardar as compras, preparar a lancheira, pagar boletos e abrir a garrafa de vinho, tudo ao mesmo tempo.

Percebem que é uma cilada? E é curioso como os homens, que sempre foram considerados aptos para os mais altos cargos profissionais por suas infinitas qualidades, não têm constrangimento algum de dizer que não conseguem abrir um pacote de amendoim ao mesmo tempo que ficam de olho para garantir que o filho de 2 anos não está comendo o giz de cera. Nessas horas a incapacidade é extremamente bem-vinda e até bastante conveniente.

Precisamos tomar cuidado com isso, porque é um dos elementos que nos fazem acreditar que não há saída: temos realmente que cuidar de tudo. Caso contrário, é o fim do mundo. Mentira. Homens são capazes, sim, de cuidar da casa e das crianças – tanto quanto mulheres. E nós precisamos, sim, de alguns momentos de isolamento, cuidado e serenidade. A suposta incapacidade masculina para as tarefas mais básicas é um dos elementos que mais levam mulheres "para o fim da fila" e, consequentemente, para a total exaustão.

Uma amiga minha tinha uma forma muito interessante de organizar seus compromissos. Ela não apenas tinha uma agenda bem organizada como elegeu uma cor para identificar cada membro da família: a filha era laranja, o filho era verde, o marido era amarelo, coisas da família eram azuis e ela era o roxo. Sempre que anotava um compromisso na agenda, passava uma marca-texto por cima, com a cor correspondente ao "dono" do compromisso: levar a filha no dentista era laranja, reunião da escola do filho era verde, acompanhar o marido num jantar com investidores era amarelo, a festa de aniversário do sobrinho era azul e, se sobrasse espaço para alguma coisa dela, seria roxo.

Lembro bem da cara dela quando me disse a seguinte frase com um misto de tristeza, culpa e exaustão: "Ruth, percebi que o roxo não aparece mais na minha agenda. Virei as páginas para trás e há três semanas não há nada roxo. Tudo verde, laranja, amarelo, azul. É como se eu não existisse, a não ser no papel de mãe e de mulher."

E, claro, ela também existia como trabalhadora, durante várias horas por dia. Só não existia como ela mesma. Alguns meses depois, pediu o divórcio. Não sei bem se teve a ver com isso ou não. Sei que após um tempo, quando me encontrei com ela, ela sorriu e disse: "Olha, estou com as unhas feitas!" Pode parecer uma bobagem, mas, para quem não cuidava de si mesma havia tanto tempo, aquilo era algo realmente simbólico.

Coma suas bolachinhas, amiga

Uma vez, quando meus pais vieram me visitar em Portugal, aproveitamos para viajar e fomos conhecer a Noruega. Visitamos uma pequena cidade chamada Friedrichstadt e, em meio aos passeios, fomos parar num lago lindo, onde havia uma ponte muito bucólica, e ali aconteceu comigo uma coisa curiosa.

Eu me aproximei da ponte, olhei para baixo e vi uns filhotinhos de pato muito bonitinhos. Fiquei olhando para eles, eles ficaram olhando para a minha cara, como quem diz: "Você vai ficar só olhando ou vai jogar alguma comida?" Abri a bolsa, achei umas bolachas e comecei a jogar uns pedacinhos para eles. Os patinhos foram comendo, até que a certa altura apareceu uma pata grandona, evidentemente mãe deles. Ela veio feito uma louca, nadando rápido na nossa direção. Eu me assustei, achei que ela tivesse se sentido ameaçada por eu estar dando comida para seus filhotes. Talvez ela não permitisse glúten na dieta dos seus bebês, sei lá. Mas logo percebi que, na verdade, a coitada da pata só estava com fome. Ela queria comer também.

Então comecei a jogar pedaços de bolacha para ela. A pata-mãe era muito mais rápida e muito maior que os patinhos, podia comer todas as bolachas que eu jogava. Mas, como mãe, qual foi a reação dela? Ela deixava para um patinho, depois deixava para outro, prestava atenção se o terceiro estava comendo... e ela mesma não pegava absolutamente nenhum.

Eu comecei a ficar um pouco incomodada com aquilo, tanto que passei a falar com os patinhos "Ó, esse é da sua mãe, esse é da sua mãe! Deixa pra ela!", mas eles não estavam nem aí (é filho que chama, né?). Até que chegou uma hora em que eu me dei conta de que a pata não ia comer nada. Então armei um plano: esmigalhei uma bolacha com a mão e comecei a jogar as migalhas numa direção, para atrair os patinhos todos. Então olhei para a pata-mãe e arremessei uma bolacha inteira na outra direção. Deu certo. Ela pegou a bolacha e os patinhos ficaram com as migalhas. E fomos embora, cada uma para o seu lado.

Guarde essa história. Agora vamos mudar de assunto.

Quando você embarca em um avião, as instruções de segurança dizem: "Em caso de despressurização, máscaras de oxigênio automaticamente cairão sobre as vossas cabeças. Caso haja alguém do seu lado que tenha necessidade de auxílio, primeiro coloque sua máscara para depois auxiliar a pessoa."

Mas o que isso tem a ver com os patos? Simples: você não consegue cuidar de ninguém se não cuidar de si mesma antes. Se aquela Dona Pata, que veio correndo morta de fome, não tivesse conseguido pegar a bolacha que eu joguei para ela, se não comesse nada, será que conseguiria ser uma boa mãe? Será mesmo que ela estaria no auge do seu desempenho materno, generoso e fantástico... sem comer?

Antes de ajudar o outro, é preciso cuidar de si mesma. Os comissários de bordo nunca falam por que você tem que colocar a sua máscara primeiro, mas a razão é simples: porque senão você morre, e morta você não ajuda a pessoa ao lado. Sabe como é?

O que eu quero dizer é uma coisa muito dura: ninguém vai fazer por você o que eu fiz por aquela pata. Ninguém vai arremessar bolachas quando você estiver faminta.

Então, amiga, não se esqueça. Cuide de você. Coloque sua máscara de oxigênio, coma suas bolachinhas e siga em frente.

Feminismo e liberdade

Já OUVI, MUITAS e muitas vezes, mulheres dizerem que não são feministas, mas sim a favor da igualdade entre homens e mulheres. Peraí. Tem alguma confusão nessa conversa. É um erro comum as pessoas acharem que o feminismo é o contrário do machismo. Não é.

O feminismo é a teoria que sustenta a igualdade política, social e econômica entre homens e mulheres. O que o feminismo busca é a igualdade de gênero e a liberdade da mulher. Feminismo não é o oposto de machismo. O machismo prega a superioridade do gênero masculino, enquanto o feminismo busca a igualdade entre os dois.

Então vamos lá. Antes de começarmos este capítulo, é bom esclarecer que qualquer pessoa que apoia a igualdade de gênero é uma pessoa feminista. E existem vários tipos e diversas formas de expressão do feminismo. Talvez você se identifique com alguma. Talvez não. E não tem problema nenhum. Dentro do feminismo cabemos todos nós, com nossas ideias, personalidades e individualidades.

É liberdade que chama?

Em seu livro *O feminismo é para todo mundo*, a escritora americana bell hooks,* nascida em 1952, em Kentucky, famosa e respeitada intelectual negra e teórica feminista, diz o seguinte:

---

* bell hooks optou por sempre grafar seu nome todo em letras minúsculas para manter o foco dos leitores em suas ideias em vez de deslocá-lo para sua personalidade.

Na maioria das vezes, pensam que feminismo se trata de um bando de mulheres bravas que querem ser iguais aos homens. Essas pessoas nem pensam que feminismo tem a ver com direitos – é sobre mulheres adquirirem direitos iguais. Quando falo do feminismo que conheço – bem de perto e com intimidade –, escutam com vontade, mas, quando nossa conversa termina, logo dizem que sou diferente, não como as feministas "de verdade", que odeiam homens, que são bravas. Eu asseguro a essas pessoas que sou tão de verdade e tão radical quanto uma feminista pode ser, e que, se ousarem se aproximar do feminismo, verão que não é como haviam imaginado.[6]

E é exatamente isso. Afastemos esses dogmas que muitas pessoas têm sobre o feminismo. É muito simples: se você quer igualdade entre homens e mulheres, você é feminista. E não há problema nenhum nisso. Muito pelo contrário.

Dentro da noção de feminismo há muitas ideias diferentes. Na verdade, dentro de qualquer movimento que pretenda mudanças, é absolutamente natural que haja divergências. Fulano quer mudar para um caminho, Beltrano quer mudar para outro. E tudo bem. O importante é haver diálogo, é escutarmos umas às outras e respeitarmos essas diferenças.

Além da noção de igualdade, que já mencionamos, há outra palavra essencial para entendermos o que é feminismo: liberdade. O feminismo quer mulheres livres. Livres para serem o que quiserem ser. Se uma mulher quiser ser uma profissional de sucesso, independente emocional e financeiramente, ótimo. Se uma mulher quiser ser esposa e mãe em tempo integral, sem exercer qualquer atividade remunerada, ótimo. Se uma mulher quiser andar com roupas sensuais, justas e decotadas, perfeito. Se uma mulher quiser usar roupas tidas como masculinas, perfeito. Não importa. O feminismo abraça cada uma de nós na nossa individualidade e nas nossas escolhas.

A principal batalha feminista é pelo direito de escolha da mulher.

Escolher seus projetos, seus trabalhos, suas prioridades. Escolher se casar ou não, ser ou não ser mãe, ser feminina ou não, se relacionar com homens ou não, dedicar-se a uma carreira ou não, ser financeiramente independente ou não. Muita gente pensa, como bell hooks menciona naquele trecho, que existe um perfil definido para ser feminista. Mas é fácil perceber que o único pré-requisito para ser feminista é querer um mundo mais justo, no qual as mulheres levem uma vida mais livre.

Somos todas Olympe

Todas nós sabemos que existe uma desvalorização histórica da mulher, seja no campo social, econômico, político ou moral. E é muito importante sabermos que a luta feminista não é algo recente – até para termos a dimensão de que esse tipo de coisa leva muito, muito tempo para mudar.

Carla Cristina Garcia[7] afirma que podemos destacar três principais ondas feministas ao longo da história. A primeira começa com a obra de Poulain de la Barre[8] e o movimento de mulheres durante a Revolução Francesa. A segunda emerge com os grandes movimentos sociais do século XIX. E a terceira, também chamada de feminismo contemporâneo, abarca todo o movimento dos anos 1960 e 1970, bem como as novas tendências trazidas pelos anos 1980.

Dentro da primeira onda, temos uma questão interessante. A maioria de nós estudou a Revolução Francesa nos tempos de escola. Nomes como Danton e Robespierre fizeram parte da nossa instrução. Mas, por alguma razão, ninguém falou sobre Olympe de Gouges. E nós precisamos – e muito – conversar sobre ela.

Olympe de Gouges chamava-se, na verdade, Marie Gouze. Ela nasceu em Montauban, no sudoeste da França, em 7 de maio de 1748. Sua mãe chamava-se Anne Olympe e era casada com Pierre Gouze, com quem teve três filhos. Todavia, diz-se que era fato notório que Marie foi fruto de um relacionamento extraconjugal da mãe com o escritor Jean-Jacques Lefranc, o homem pelo qual ela era apaixonada desde jovem.[9]

Marie cresceu, estudou e, aos 17 anos, lhe foi imposto um casamento com Louis-Yves Aubry, membro de uma família burguesa de Paris. Um ano depois, em 1766, nasce seu filho Pierre e, pouco depois, Marie fica viúva aos 20 anos de idade. Apesar de ter vários pretendentes, decide não se casar outra vez e vai viver em Paris, onde adota o nome Olympe de Gouges, homenageando a mãe e buscando não ser conhecida como a "Viúva Aubry".

Em Paris, usufruindo da sua liberdade, Olympe tem diversos amantes e se torna uma escritora reconhecida, produzindo peças teatrais, um romance autobiográfico e centenas de artigos sobre temas diversos, como a colonização, o racismo, a abolição do tráfico negreiro, o divórcio e, sobretudo, a igualdade entre os sexos.[10]

Em sua obra, Olympe começa questionando se os homens têm a capacidade de ser justos e também se pergunta de onde veio o "direito" dos homens de dominar as mulheres, afirmando que querem comandar de forma déspota um outro sexo, o feminino, que tem exatamente as mesmas faculdades intelectuais que eles. Em 1789 Olympe de Gouges se engaja na Revolução Francesa através da escrita.

Muitos de nós conhecem a *Declaração dos direitos do homem e do cidadão* de 1789. Tendemos a pensar que "homem", nesse contexto, tem o sentido de "ser humano". Mas não. Trata-se de "homem" como designação exclusiva do sexo masculino. Ou seja, as mulheres não estavam abarcadas nos direitos pleiteados na *Declaração*.

Sabendo disso, Olympe redige em 1791 a pouquíssimo conhecida *Declaração dos direitos da mulher e da cidadã*, abrangendo direitos civis e políticos. Como era de esperar, o texto não foi bem acolhido, e Olympe de Gouges foi atacada pela autoria da obra, considerada "anti-Robespierrista". Esse fato, associado à publicação de sua obra *Três urnas*, questionando as formas de governo adotadas pelo novo regime, fez com que Olympe fosse presa. A acusação imputada contra ela era a seguinte:

Olympe de Gouges escreveu e mandou imprimir obras que não podem ser consideradas senão atentados à soberania do povo. (...) Não há como enganar-se sobre as intenções pérfidas dessa mulher criminosa e sobre seus propósitos ocultos quando se vê, em todas as suas obras, caluniar e atirar fel, como longas flechas, sobre os mais calorosos amigos do povo e sobre seus mais intrépidos defensores.[11]

O advogado que Olympe indicou para defendê-la no julgamento não se apresentou ao tribunal. Ao solicitar outro defensor, ouviu o juiz dizer que ela era "suficientemente dotada de espírito para se defender sozinha". Ela foi condenada à pena de morte e, ao saber da sentença, afirmou que estava grávida. Submetida a um exame médico, a parteira não chegou a um resultado conclusivo. O presidente do tribunal optou, então, por desconsiderar o argumento e determinou sua execução dentro de 24 horas.

Em 3 de novembro de 1793, Olympe de Gouges foi levada à guilhotina. Quinze dias antes, Maria Antonieta tinha sido morta da mesma forma. As últimas palavras de Olympe antes de sua execução foram: "Filhos da Pátria, vocês vingarão a minha morte." O professor Dalmo Dallari conclui, com maestria, o espírito desse episódio:

Misturavam-se aí o sentimento de vingança dos que apoiavam os comandantes do terror e a satisfação primária pelo espetáculo do funcionamento da guilhotina, mas também estavam juntos naquela manifestação cruel e desumana os que achavam que a ascensão política da burguesia, a nova classe de homens ricos, era a instauração de uma sociedade justa, na qual os homens com mais poder econômico manteriam o comando. E com arrogância e intolerância consideravam que os críticos desse sistema eram inimigos perigosos, que deveriam ser eliminados.[12]

A história de Olympe de Gouges é conhecida por poucos, assim como o texto da *Declaração dos direitos da mulher e da cidadã*. E é muito importante termos a dimensão de que se passaram mais de 200 anos sem que a questão dos direitos das mulheres fosse resolvida. Ainda estamos muito, muito longe da noção de igualdade, e é por isso que o feminismo segue sendo absolutamente fundamental.

Nada veio de graça

Tenho mesmo muito medo de pessoas que não prestaram atenção nas aulas de história. Pessoas que não entendem que toda mudança social que houve ao longo dos anos foi fruto de muita luta. E, como sabemos (ou deveríamos saber), todos os direitos das mulheres só foram conquistados porque havia mulheres batalhando na linha de frente.

Quem não vai votar no domingo porque quer aproveitar o dia na praia provavelmente não se lembra do movimento sufragista ao tomar essa decisão infeliz. A luta de Lucretia Mott, Elizabeth Stanton, Sojourner Truth e tantas outras mulheres sufragistas no século XIX foi um dos principais fatores que nos possibilitaram ter o direito de eleger nossos representantes hoje em dia.

Poucas, ao irem para o trabalho, têm consciência de quanto Flora Tristán, Emma Goldman e Alexandra Kollontai lutaram, em locais e épocas diferentes, para que as mulheres também tivessem voz dentro do movimento operário.

Lembremos sempre. Nada veio de graça.

Na primeira metade do século XX, Amanda Labarca batalhou pelos direitos civis e políticos das mulheres latino-americanas no Chile. Lélia Gonzalez, nascida em 1935, batalhou anos e anos pelos direitos das mulheres negras no Brasil. Fatema Mernissi, feminista islâmica, passou a vida lutando pelos direitos das mulheres muçulmanas. Gayle Rubin segue lutando pela diversidade e pela igualdade de gênero.

Essa é apenas uma pequena amostra. Há tanta, tanta gente que morreu batalhando para que nós tivéssemos uma vida mais justa...

Honremos os caminhos que abriram para nós e lutemos para abrir novos caminhos para todas as demais.

Somos todas o "outro"

Um dia, quando eu estava na faculdade, ouvi uma professora dizer: "A mulher que diz que nunca se sentiu discriminada por ser mulher é simplesmente uma mulher muito distraída." E é exatamente isso. Porque a partir do momento em que começamos a refletir sobre a nossa condição de mulher, passamos a enxergar as coisas que acontecem no nosso cotidiano com muito mais clareza.

Fatos que nos pareciam ser mera grosseria ou ignorância passam a ser reconhecidos como machismo, efetivamente. E, sim, é muito cansativo ter essa consciência e lutar essas batalhas. Mas é indispensável que reconheçamos essas pequenas-grandes agressões diárias se queremos viver num mundo melhor. Ser chamada de "meu anjo" numa reunião de trabalho, ser "a mocinha" quando deveríamos estar em posição de igualdade, receber elogios sobre a nossa aparência quando estamos expondo as nossas ideias.

Simone de Beauvoir nasceu em Paris em 1908 e foi uma brilhante escritora e filósofa, que contribuiu imensamente para o feminismo contemporâneo. Curiosamente, Simone declarava que, até escrever seu célebre livro O segundo sexo, não tinha plena consciência de que sofria discriminação por ser mulher. Foi preciso refletir muito sobre o assunto para perceber o que realmente se passava em sua vida.

No livro, muito resumidamente, a autora afirma que, na medida em que o homem é o padrão, a mulher é considerada "a outra", sem que o inverso se dê. A mulher nunca vê o homem como "o outro", mas sim como o centro, a normalidade. Ou seja, a regra é ser homem. Ser mulher é a exceção à normalidade.

Essa noção ficou muito mais clara para mim quando li, nas redes sociais, um post da professora e geógrafa Amanda Voivodic falando sobre sua filha de seis meses:

Há seis anos li *O segundo sexo*, de Simone de Beauvoir, livro que foi essencial para entender melhor as origens das opressões que eu sinto enquanto mulher no meu cotidiano. Mas hoje, pela primeira vez, eu entendi de verdade o que é ser "o outro". Estava em um bar e pela milésima vez a Madalena, minha filha, vestida de cinza, foi chamada de "ele". Foi quando caiu a ficha do quanto o normal é ser homem e que para ser mulher é preciso estar caracterizada, fantasiada. Eu sempre comentei que a Madalena, por não usar brincos, se não estiver de rosa, é chamada de "ele", e hoje esse acontecimento me lembrou "o outro" da Simone. As pessoas chamam qualquer bebê que não está de brinco, de rosa, de tiara, de "ele", porque o normal é ser homem e a mulher, um mero produto da sua costela, precisa estar muito bem caracterizada para ser devidamente reconhecida como esse ser que é menor, que é o outro, que é a mulher.

Sobre esse assunto, Djamila Ribeiro aponta, de forma essencial, que a posição da mulher negra é ainda mais delicada nesse aspecto. A autora nos lembra que Simone de Beauvoir assevera que a mulher é "o outro" por não ser vista com reciprocidade pelo olhar do homem, mas que a situação da mulher negra é ainda mais complicada, por também não ser vista com reciprocidade pelo olhar da mulher branca, tendo sido chamada pela professora e artista portuguesa Grada Kilomba de "o outro do outro".[13]

O que podemos fazer, então, para diminuir um pouco essa distância que se instalou entre as diferentes mulheres do mundo?

Sororidade: somos todas irmãs

"Sororidade" é uma palavra muito bonita, que está cada vez mais na moda. Que bom. Basicamente, a ideia central da sororidade é a de solidariedade e cooperação entre as mulheres, em oposição à antiga e gasta ideia de que somos todas inimigas e que vivemos para competir umas com as outras.

Mas é muito curioso tentar entender exatamente a origem dessa palavra. Mencionamos há pouco o papel de Olympe de Gouges na Revolução Francesa, cujo lema era "Liberdade, Igualdade e Fraternidade". A palavra "fraternidade" vem do latim *frater*, que quer dizer *irmão*, portanto a fraternidade consiste no laço que existe entre irmãos. Todavia, hoje já sabemos com clareza que os ideais pregados pela Revolução Francesa, por mais importantes que tenham sido para a evolução da humanidade, não se preocupavam também com a inclusão das mulheres.

Percebeu-se então que, se há uma palavra que promove o tratamento entre homens como um tratamento entre irmãos, faria muito sentido haver um termo que incentivasse as mulheres a olharem umas para as outras como se fossem todas irmãs. E, em latim, como vocês devem imaginar, *irmã* se diz *soror*, fazendo nascer a palavra sororidade.

Letícia Bahia faz a ressalva de que a existência da sororidade não nos impede de fazer críticas a outras mulheres, mas nos aconselha apenas a fazê-lo de forma empática, tentando entender que os erros de algumas mulheres podem ser fruto dessa cultura que oprime todas nós.[14]

E esta ideia simples deve ser nosso exercício diário: olhar para as outras mulheres como olhamos para as nossas irmãs. Com o mesmo olhar de parceria, solidariedade e boa vontade que temos perante elas. Não é uma missão fácil, mas é uma coisa que precisamos exercitar e que melhoraria – e muito – a situação das mulheres no mundo. Está na hora de começarmos a dar suporte umas às outras, porque há muitos séculos os homens estão apoiando uns aos outros sem pestanejar.

Sem medo de se dizer feminista

No fim das contas, o fundamental é entender que o feminismo é o principal mecanismo que temos para nos aproximar da vida que gostaríamos de ter enquanto mulheres. Não precisamos ter medo desse rótulo nem achar que isso é algo chocante. Chimamanda

Ngozi Adichie afirma, no final do seu delicioso e necessário livro *Sejamos todos feministas*:

> Ele tinha razão, anos atrás, ao me chamar de feminista. Naquele dia, quando cheguei em casa e procurei a palavra no dicionário, foi este significado que encontrei: "feminista: uma pessoa que acredita na igualdade social, política e econômica entre os sexos."
>
> Minha bisavó, pelas histórias que ouvi, era feminista. Ela fugiu da casa do sujeito com quem não queria se casar e se casou com o homem que escolheu. Ela resistiu, protestou, falou alto quando se viu privada de espaço e acesso por ser do sexo feminino. Ela não conhecia a palavra "feminista". Mas nem por isso ela não era uma. Mais mulheres deveriam reivindicar essa palavra.[15]

Vamos nos posicionar e abraçar essa palavra. Muitas pessoas ainda têm resistência ao termo *feminismo*, mas isso acontece, via de regra, por falta de conhecimento. Por outro lado, temos que estar atentas, uma vez que o tal "empoderamento feminino" está na moda e há empresas e veículos de informação que dizem abraçar esta ideia sem, no entanto, acolher de fato o que está na gênese do feminismo, que é a liberdade da mulher e a igualdade de oportunidades e de direitos.

De nada adianta uma companhia se dizer a favor das mulheres, trabalhando apenas sua imagem e seu marketing, se, na prática, não há combate à discriminação e às práticas machistas, não há inclusão, não há incentivos para as mulheres que desejam ser mães nem aceitação de mulheres na sua pluralidade.

Lembro-me bem de uma ocasião na qual recebi um e-mail de uma grande rede de concessionárias de automóveis me solicitando uma palestra para o mês das mulheres. Num primeiro contato pareceu uma proposta legal, mas logo recebi uma mensagem na qual eles diziam que não queriam uma "palestra feminista", uma vez que esse não era o posicionamento da empresa. Queriam apenas uma palestra falando de empoderamento, sem cunho feminista.

Confesso ter ficado até confusa. Empoderamento sem feminismo? Trata-se de uma verdadeira contradição. Como pregar o acesso das mulheres ao poder sem reconhecer que toda a evolução que tivemos até hoje foi graças aos diversos movimentos feministas que se espalharam pelo mundo? Não faz sentido defender o empoderamento sem abraçar o feminismo.

Prontamente disse à tal rede de concessionárias que a proposta não me interessava. Como dizem por aí, silenciar seria uma forma de anuir. E não quero concordar com quem usa a emancipação das mulheres como uma fachada, não como um estímulo real para repensar a forma de lidar com a questão.

Somos fortes porque somos diferentes

Q UANDO O DIA 8 de março começa a se aproximar, vemos a
data ser chamada de duas maneiras diferentes, frequentemente utilizadas de forma indiscriminada: dia "da mulher" ou dia
"das mulheres". O mais comum é usarem o nome Dia Internacional
da Mulher. Não há uma expressão certa e outra errada, todavia venho tentando mencionar "as mulheres" cada vez mais no plural, e
não no singular.

Pode parecer preciosismo, mas há um significado interessante
por trás disso. Quando falamos sobre o dia "da mulher", no singular,
há, mesmo que inconscientemente, um estereótipo de mulher que
se forma na cabeça das pessoas. Basta olharmos para as campanhas
que o comércio faz nessas datas. Tudo fica atrelado àquela mulher
fictícia que tanto nos amarra ao longo da vida: a mulher heterossexual que gosta de flores, de chocolates, de sapatos e de ser mãe.
Pouco mais do que isso. Sim, há mulheres que se encaixam nesse
perfil, mas há muitíssimas outras que não se identificam com nada
disso. E, atenção, elas não são a minoria.

Não há nada de errado em se encaixar nesse estereótipo, assim
como não há nada de errado em não ter nada a ver com ele. O segredo está exatamente em nos sentirmos à vontade para sermos o
que somos, sem que haja uma constante preocupação de estarmos
frustrando as expectativas da sociedade.

Essa relação com as expectativas alheias é um dos maiores fatores de desgaste na nossa vida – que faz também com que nós
nos sintamos, de fato, exaustas. A cada ocasião em que não nos

encaixamos no "padrão ideal de mulher", precisamos nos justificar. Como assim você não quer ter filhos? Como assim você vai cortar o cabelo curto? Como assim você não gosta de flores? Como assim você não se relaciona afetivamente com homens? Como assim você não gosta de bebidas doces? Como assim você não assiste a comédias românticas? Como assim você não tem vontade de se casar? É realmente exaustivo ter que explicar o porquê – quando frequentemente nem há um – dos nossos gostos e decisões, sobretudo aqueles que acabam por se desviar daquilo que se considera como "normal" para uma mulher.

Ao falarmos da "mulher", como se todas as mulheres fossem uma coisa só, estamos podando a nossa própria liberdade e a liberdade das que nos cercam. Por outro lado, se falarmos em "mulheres", em "dia das mulheres", em "saúde das mulheres", em "direitos das mulheres", estamos sutilmente dizendo que somos plurais por natureza.

Um exemplo interessante que materializa essa ideia é um livro da brilhante jurista Maria Berenice Dias. Enquanto a maioria dos livros da área na qual ela milita tem títulos como *Manual/Curso de Direito de Família*, a autora optou por chamar o seu livro de *Manual de Direito das Famílias*, no plural. Isso porque a ex-magistrada desenvolve há anos um trabalho importantíssimo acerca dos direitos dos indivíduos homoafetivos e das uniões entre pessoas do mesmo sexo, bem como uma série de outras questões que envolvem famílias que fogem ao padrão tido como ideal.

A expressão "Direito de Família", no singular, acaba por sutilmente reforçar a ideia de que só há uma família "correta" e tutelada pelo Direito. Ao batizar seu livro de *Manual de Direito das Famílias*, Maria Berenice declara, mesmo que de forma implícita, que aquela obra visa abraçar todas a famílias, com as suas peculiaridades e diferenças, sem que elas jamais sejam tidas como falhas ou frustrações de um modelo ideal.

É essa noção de pluralidade e de liberdade que queremos que seja igualmente transposta para o tratamento conferido às mulheres.

Até porque essa luta por uma coisa que poderia ser tida como detalhe (ou como mimimi) nos lembra bastante uma das frases mais célebres e importantes já elaboradas sobre a condição das mulheres na sociedade: "Que nada nos defina. Que nada nos sujeite. Que a liberdade seja a nossa própria substância." Simone de Beauvoir.

A caixa da Barbie

Podemos controlar melhor o que conseguimos definir. Quando sabemos determinar o comportamento e os gostos de uma pessoa, ela passa a ser muito mais previsível para nós e, consequentemente, muito mais fácil de ser controlada.

Por isso a questão que paira sobre a tal mulher "padrão" ou mulher "ideal" não tem a ver apenas com o direito de sermos o que temos vontade de ser, mas sim com as formas de controle que a sociedade exerce sobre nós.

A partir do momento em que nos definem, nos sujeitam a regras. E nos sujeitando a essas regras, nos subtraem a liberdade, como já nos disse Simone de Beauvoir. A mulher estereotipada segue uma estrada com regras muito claras sobre o comportamento que deve ter. O que pode fazer e o que não pode. A forma como deve agir. As metas que deve ter. O que deve priorizar na sua vida.

"A mulher", no singular e precedida de artigo definido, passa a não ter consciência da pluralidade de escolhas que pode fazer na sua vida, limitando-se a cumprir as expectativas sociais que recaem sobre ela. E essa é a mulher favorita da sociedade patriarcal: a mulher que não reflete sobre a sua condição e que não se considera livre para fazer escolhas diferentes.

Quanto mais nos colocam dentro de um molde, mais tendemos a nos adaptar a ele. Como no filme *Mulheres perfeitas*, com Nicole Kidman – uma ficção na qual existe uma cidade onde as mulheres são programadas em laboratório para se comportar de forma passiva, obedientes aos seus maridos, lindamente arrumadas, mantendo a casa e os filhos impecáveis.

Vamos refletir sobre essas coisas. Identificar quais são as amarras que nos prendem, mesmo quando são muito sutis. Vamos repetir diariamente para nós mesmas que somos livres para questionar os gostos e comportamentos que nos foram impostos desde o nosso nascimento. E, acima de tudo, entender que ser diferente é uma grande qualidade, nunca um defeito.

Eu sempre penso na Barbie dentro da caixinha. Tão branca, tão loira, de cabelos tão longos e tão lisos e com olhos tão azuis, tão magra, com uma cinturinha tão fina, tão heterossexual, tão cisgênero,* tão vaidosa, com sapatos de salto e roupas justas. Damos um recado tão pouco sutil às meninas quando lhes compramos essas bonecas, não é mesmo? As regras são claras. Essa é a meta. Esse é o modelo. Tudo o que fugir a isso é uma espécie de fracasso.

Rasgando a caixa da Barbie

Em 2018 comecei a fazer algumas palestras no Teatro Opus, na cidade de São Paulo. As primeiras edições foram, não coincidentemente, chamadas de "Mulheres não são chatas, mulheres estão exaustas". Foi nesse caminho que comecei a pensar tanto sobre esse assunto – até desembocarmos nestas páginas que você está lendo agora.

Em 2019, a agência que cuida desses eventos me perguntou se eu topava fazer uma edição especial para o mês de março, mês das mulheres. E fiquei pensando no que poderíamos fazer de especial. Foi quando percebi que as minhas palestras até podiam ser bacanas e trazer algumas reflexões interessantes para quem assistia, mas eram apenas as reflexões trazidas por mim, Ruth Manus, geminiana bem-humorada, porém, como já dissemos, branca, heterossexual, de classe média alta. E não há problema nenhum em ser quem eu

---

* Pessoa cuja identidade de gênero corresponde ao sexo com o qual nasceu, ou seja, homens que se identificam com o gênero masculino ou mulheres que se identificam com o gênero feminino.

sou. Porém há um grande problema em falar sobre "ser mulher" somente através do meu ponto de vista.

Por isso percebi que, naquela edição, eu não queria estar sozinha no palco. Eu queria outras vozes, outras histórias e outras cabeças funcionando junto com a minha. E foi assim que construímos um evento que chamamos de "Mulheres cuidam de mulheres" (que é o nome de outro texto que publiquei em 2018, no *Estadão*).

No palco, ao meu lado, estavam: Gabriela Moura, mulher negra, militante maravilhosa do feminismo negro, comunicadora que trabalhou o reposicionamento de grandes marcas, filha de uma corajosa empregada doméstica e uma das criadoras do movimento Não Me Kahlo; Sarah Oliveira, nossa eterna VJ da MTV, profissional fantástica na TV, no rádio e no YouTube e mãe de duas crianças deliciosas; Bibiana Bolson, jornalista gaúcha invocada e sorridente, que decidiu encarar o machismo e trabalhar com futebol e automobilismo, uma das criadoras do movimento Deixa Ela Trabalhar, de combate ao assédio contra mulheres jornalistas no esporte; e Edenia Garcia, nadadora medalhista paralímpica, campeã de tudo e mais um pouco, cearense, grande batalhadora pela pluralidade no esporte e assumidamente homossexual.

Eu não sou negra, não sei o que é trabalhar num estádio, não sou nordestina, não sou mãe (apesar de ser madrasta), não sei o que é conviver diariamente com os desafios de andar de cadeira de rodas, não sou julgada pelo meu cabelo nem pela cor da minha pele, não sei o que é ter medo de beijar quem eu amo em público. E ouvi-las foi das coisas mais ricas e importantes na minha vida.

Cada uma falou sobre as dores e os desafios de ser quem é através de um ponto de vista completamente único. Observava-se, naquele palco, que é realmente fundamental entendermos que nós somos fortes porque somos diferentes. A beleza da história de cada uma era complementada pelas histórias das outras. E, para mim, estar ali naquele palco nunca fez tanto sentido. As noções de sororidade e de pluralidade (já era um ótimo começo, mas faltava uma mulher transgênero, faltava uma mulher idosa, faltava muita coisa...) ganharam contornos verdadeiros naquela noite.

É muito bom saber que nas minhas próximas palestras, mesmo que eu esteja sozinha no palco, estarei marcada pelas falas de cada uma delas, passando a ter sempre em vista as vivências que diferem profundamente da minha. E isso me fez crescer muito como mulher e como profissional. Que sorte que é conviver com mulheres diferentes. Que sorte que é poder ouvir mulheres diferentes.

Mulheres não são inimigas

DUAS PESSOAS JUNTAS são mais fortes que uma pessoa sozinha. Não é preciso ser nenhum Einstein (ou nenhuma Marie Curie) para chegar a essa conclusão. Sempre ouvimos a tal conversa de que "a união faz a força". E ao estudarmos a Revolução Francesa, que aparece tantas vezes neste livro, ou a Revolução Industrial, a Revolução Russa ou a Revolução Mexicana, isso fica mais do que evidente. Sabemos da importância da união das pessoas para movimentar a máquina da mudança.

As greves, por exemplo – que assustam empregadores, governantes e, por vezes, a própria população –, não são nada além da demonstração da força que tem o grupo. Isolado, o pleito de cada trabalhador não tem tanta força. Mas, juntos, a coisa muda de figura. Por isso, sobretudo em situações nas quais um lado é mais oprimido do que o outro, como é o binômio empregado-empregador, é extremamente importante que haja mecanismos de união de vontades.

Com as mulheres, é evidente que não é diferente. Enquanto estivermos divididas, opostas, separadas, obviamente teremos uma força muitíssimo inferior à que teríamos se estivéssemos juntas. Sobretudo como uma categoria oprimida (ou grupo vulnerável), é essencial que mulheres unam forças para promover mudanças.

Tenhamos em mente que, para aqueles que querem preservar o status quo, é muito mais interessante que nós, mulheres, estejamos desunidas, e nada conveniente que sejamos fortes e demos suporte umas às outras.

Um dos capítulos de *Feminismo em comum*, de Marcia Tiburi, se chama "O feminismo é o contrário da solidão".[16] Além de ser um título literariamente lindo, ele sintetiza a ideia de sororidade, sobre a qual falamos anteriormente, e nos lembra que a união entre as mulheres é um alento para cada uma de nós. Nossa vida fica infinitamente mais fácil se estivermos zelando umas pelas outras.

Ocorre que o mundo está realmente muito interessado na competitividade feminina e não para, nem por um minuto, de nos lembrar disso. Vemos o tempo todo filmes, séries, novelas e propagandas com mulheres olhando torto para mulheres, mulheres brigando por causa de homens, mulheres falando mal umas das outras. Para se manter incólume, a sociedade patriarcal precisa que acreditemos que já nascemos inimigas – para assim permanecermos desunidas.

Eu mesma escrevi sobre esse assunto num texto de 2016, publicado em meu livro *Um dia ainda vamos rir de tudo isso*:

Somos ensinadas a competir. A nos incomodar com a presença de novas garotas. A procurar defeitos nelas, desde o momento em que aparecem na porta. Somos incentivadas a excluir mulheres, seja porque elas supostamente nos ameaçam ou porque supostamente não sejam "tão boas quanto nós".

Essa rivalidade, tão boa e tão interessante para o machismo e para toda a imensa parcela do mundo que tem medo de mulheres unidas, é potencializada pelo beijinho prazinimiga, pelo beijinho pras falsianes e pelo beijinho pras recalcadas. Não estou dizendo que não haja inimizade, falsidade e recalque sobrando por aí. Mas se nossa língua machista sempre torna o sujeito masculino, ainda que no caso haja mil mulheres e um único homem, por que deixar as inimigas, falsianes e recalcadas no feminino? Não há homens traiçoeiros soltos por aí?

A inimizade entre mulheres dá ibope, manchete e dinheiro. Parece ser divertida, cômica e sanguínea. Ver uma mulher cair do salto

alto parece ter graça, enquanto ver um homem pisar no cadarço não. Parece que ela merece e que ele deu azar. Mas isso tudo é uma grande cilada.

Mário Quintana dizia que só acreditava na amizade entre duas mulheres se uma delas fosse muito velha ou muito feia. Ele apenas verbaliza a competição que nos imputam desde o princípio. Mas já é hora de virar o jogo. Amigas, as mulheres nem sempre serão. Mas inimigas presumidas, isso elas nunca haverão de ser.[17]

Mais do que uma questão de amizade, o suporte entre mulheres mostra-se indispensável para que as nossas vidas sejam suportáveis. A escritora portuguesa Patrícia Motta Veiga afirma:

Vale a pena pensar se, num mundo tão inclemente para nós, teríamos sobrevivido em condições em tal grau violentas – de perseguição, agressão, pobreza, submissão, aviltamento – sem o apoio vital de outras mulheres. O que seria de nós e dos nossos filhos se não tivéssemos mães, filhas, avós, irmãs, companheiras e amigas? Em que parte da história teríamos acabado? Em que momento do mundo teria a humanidade desaparecido?[18]

Nós, por natureza, não somos aquilo que o mundo tenta nos vender. Não estamos aqui para derrubar as outras ou para puxar tapetes imaginários. Somos parceiras, zelamos umas pelas outras, inclusive por sabermos que estamos constantemente ameaçadas.

Por que a diversidade importa

Em 2016 tive a oportunidade de fazer um TED Talk, no qual falei sobre o que denominei "a escalada dos vulneráveis": se a vida, com seus desafios e percalços, fosse uma montanha, haveria uma série de pessoas que, simplesmente para chegar à base da montanha, à linha de largada, teriam que fazer uma escalada prévia. Elas precisariam escalar outra montanha inteira apenas para poder se posicionar ao lado dos indivíduos mais privilegiados.

Denominamos esse tal privilegiado de "sujeito ideal". Convidei o público, então, a tentar imaginar, junto comigo, quem seria esse tal "sujeito ideal" que, em virtude dos seus privilégios, seria a pessoa menos propensa a ter de provar a sua capacidade para as coisas simples da vida. Perguntei, então: essa pessoa seria um homem ou uma mulher? Seria branca ou negra? Seria magra ou gorda? Seria heterossexual ou homossexual? Seria europeia/norte-americana ou latino-americana/africana/asiática? Essa pessoa teria alguma deficiência? Enfim. Não é difícil concluir que o "sujeito ideal", que não tem montanha prévia nenhuma para escalar, é um homem, branco, magro, heterossexual, europeu ou norte-americano, sem nenhum tipo de deficiência. Cada característica diferente dessas que tivermos, ou seja, nosso pertencimento a algum desses "grupos vulneráveis", nos obrigará a percorrer trilhas pelas quais eles nunca passarão.

Nesses grupos vulneráveis podemos incluir o que normalmente chamamos de minorias: mulheres, comunidade LGBT, negros, pessoas com deficiência, entre tantos outros. Frequentemente essas pessoas são maioria numérica, mas nem por isso deixam de estar vulneráveis a uma série de discriminações, agressões e injustiças.

Falei, nessa ocasião, sobre a importância de nós, indivíduos em posição vulnerável, fortalecermos uns aos outros. De estendermos nossas mãos a cada pessoa pertencente a um desses grupos como forma de questionar o tal "indivíduo ideal", cuja existência é inegável.

A lógica é bem simples: enquanto, no meu ambiente de trabalho, eu for a única mulher num grupo de vários homens, sou uma espécie de visita. Sou "o outro" da Simone de Beauvoir. Sou aquela que, mesmo sem dizer nada, pede licença para estar ali. E a situação seria a mesma se fosse um homem negro em meio a tantos homens brancos. Ou se fosse uma pessoa transgênero em meio a tantos homens cisgênero. Ou se fosse uma pessoa com deficiência em meio a tantas outras sem nenhum tipo de deficiência.

Enquanto todos nós que não correspondemos a esse perfil ideal – masculino, branco, cisgênero, heterossexual, magro, europeu, cristão... – não nos juntarmos, não nos fortalecermos e não cuidarmos uns dos outros, continuaremos perpetuando a ideia de que estamos "devendo" algo ao mundo. E de que precisamos nos desculpar, de alguma maneira, por essa nossa suposta imperfeição.

A desconstrução desse estereótipo ideal de ser humano é tão indispensável quanto difícil. Acredito que uma das formas mais eficazes de fazer isso é nos esforçarmos para conseguir a diversidade nos ambientes, sobretudo profissionais. Quando há uma mulher negra entre nove homens brancos, há aquela tal sensação de deslocamento e dívida. Mas se essa mulher negra estiver acompanhada de uma mulher branca, de um homem negro, de uma mulher com deficiência e de uma mulher muçulmana, a sensação de deslocamento torna-se sensivelmente reduzida e o tal homem ideal passa a ocupar um lugar muito menos ostensivo, uma vez que a própria diversidade já questionaria sua posição de supremacia sobre os demais.

É o tal "ninguém solta a mão de ninguém", sabe?

Competir x Apoiar

Outro dia eu estava na academia e comecei a reparar que agora há uma certa moda de homens jovens que vão treinar juntos. São várias duplinhas de homens entre os 20 e os 40 anos que se espalham entre os aparelhos de musculação, sobretudo à noite, com suas garrafas de *whey protein*.

No começo, confesso que pensei que fossem casais. Porque eles realmente não se largam, vão juntos de aparelho em aparelho, e um fica esperando ao lado enquanto o outro se exercita. Depois trocam: o que estava esperando vai para o aparelho e o outro fica observando. Comecei a achar que a minha academia era um *point* de casais gays treinando juntos, apoiando um ao outro. Mas logo descobri que não era nada disso.

São, na verdade, duplas de amigos (um estranho conceito de amizade, no meu entendimento), que vão juntos para a academia numa espécie de duelo. Quem levanta mais peso no supino? Quem aguenta mais no adutor? E no abdutor? Um fiscaliza o outro e depois vai para o aparelho tentar superar o peso levantado. Comecei a entender a dinâmica, que confesso achar bem bizarra: não se trata de um incentivo mútuo, mas sim de uma competição genuína e cotidiana.

Nessa hora comecei a pensar na tal ideia que nos vendem, de que as mulheres são competitivas e destrutivas umas com as outras. Engraçado. Eu nunca vi amigas que vão juntas para a academia para competir. Vejo amigas que vão juntas e dão risada na aula de zumba. Que correm lado a lado na esteira, enquanto uma diz para a outra: "Amiga, não fica assim, ele não te merecia, você é incrível!" Amigas que deitam para fazer abdominais e que, conversando, dão tanta risada que o abdômen até treme.

Quem inventou de nos convencer do contrário? Que eles são os "parça" e nós somos as invejosas/falsianes/recalcadas? Gente, nós cuidamos umas das outras, é assim desde sempre. Reitero: é a nossa natureza. Não vamos permitir que nos façam pensar o oposto disso.

Porque, como já dissemos, mulheres não são inimigas. Mulheres são aquelas que passam papel higiênico por cima da porta quando o papel da sua cabine de banheiro público acabou. Mulheres são aquelas que podem te oferecer um absorvente numa emergência ou um peito para seu filho. São as que entendem seus incômodos e seus erros. São as que entendem suas dores, sejam elas menstruais ou de vida. São aquelas que deveriam ser as primeiras a estender a mão e nunca as primeiras a apontar o dedo.[19]

Precisamos parar de julgar outras mulheres

Este livro não é um manual. Este livro definitivamente não é um manual. Muito pelo contrário. Isto aqui, na realidade, são páginas e páginas de desabafos, reflexões e angústias. Eu estou muito longe de ser um modelo a ser seguido. Adoraria, mas realmente não sou. Todavia venho tentando ter muita autocrítica a meu respeito, porque a verdade é que eu erro com frequência. Eu erro e muito.

Era dia 14 de fevereiro, dia de São Valentim, quando se comemora o Dia dos Namorados na Europa e em vários outros lugares. Naquele ano, o dia 14 caiu numa quinta-feira, que é meu sagrado dia de ir à biblioteca para trabalhar na minha tese de doutorado. Então lá fui eu passar uma deliciosa tarde solitária na pequena biblioteca de Campo de Ourique.

As mesas lá têm quatro lugares, mas a verdade é que todas as pessoas que costumam estar por ali preferem ficar sozinhas, espalhando livros e mais livros pela mesa toda. E foi assim que eu fiquei nos primeiros 30 minutos. Até que ela chegou. Ela quem? Não a conheço, não sei seu nome. Sei que ela se aproximou e fez aquela cara de "com licença", pedindo que eu tirasse meus livros para que ela pudesse ocupar um lugar.

Antes de qualquer coisa, eu fiz "aquilo". Aquilo, vocês sabem. Aquela coisa horrorosa que às vezes a gente faz. Corri meus olhos pela moça, de cima a baixo, quase como um aparelho de raios X. Em menos de três segundos eu avaliei a roupa, a bolsa, o corpo, o cabelo, a falta de maquiagem. Pior: eu não apenas avaliei; eu também julguei. E não me orgulho nem um pouco disso. Mas, vamos ser sinceras, frequentemente a gente ainda cai nesse erro.

Puxei meus livros para perto de mim, desocupando 50% da

mesa para ela, que agradeceu e se sentou. A moça usava um macação jeans e o cabelo estava preso num rabo de cavalo. Quase de forma inconsciente, eu pensava: "Esse macacão não a favorece em nada. Por que ela está usando isso?" Confesso que nutri, naqueles 15 segundos, uma minúscula antipatia pela moça. Acho que, no fundo, foi só porque eu tive que dividir a mesa. Que horror, né? Às vezes a gente é tão mesquinha.

Mas, tudo bem, os minutos passaram, eu continuei com meus livros de economia internacional e ela abriu seus livros de pediatria. Me habituei à sua presença e ela à minha. Ok, confesso que ainda dei uma olhadinha para o cabelo dela e achei que as pontas estavam meio espetadas, que era melhor cortar um pouco. O pior de tudo era o fato de eu nem sequer me dar conta do que estava fazendo.

Mais ou menos uma hora depois, ela saiu para atender o celular na rua. Foi para a calçada e, depois de uns cinco minutos, voltou. Só que ela voltou com duas flores nas mãos. Eram gérberas, minha flor preferida. Uma loja qualquer ali do bairro estava distribuindo, por causa do Dia dos Namorados. Ela se aproximou da mesa onde estávamos e, antes de se sentar, olhou para mim, estendeu uma das flores vermelhas na minha direção e disse baixinho: "Quer uma?"

Eu fiquei completamente desconcertada. Sorri, sem graça, agradeci e peguei a flor. Tinham dado duas flores para ela e, em vez de ficar com as duas, ofereceu uma delas para essa tal desconhecida espaçosa com quem dividia a mesa naquela tarde, também conhecida como Ruth Manus.

Por que ela me deu uma flor? Não sei. Não acho que estivesse flertando comigo. Não, definitivamente, ela não estava flertando comigo. Nem acho que estivesse querendo se livrar das flores. Se fosse isso, teria logo me oferecido as duas. Honestamente, não sei por que ela me deu uma flor. Mas o fato foi que ela deu, e que eu me senti realmente muito mal por ter ficado analisando a aparência da minha vizinha de mesa em vez de simplesmente ficar contente por ter companhia.

Levei a flor para casa, a gérbera durou um mês inteiro no vasinho. Todo santo dia eu lembrava da moça da biblioteca e me sentia uma completa idiota. Não existia, naquela mesa de biblioteca, nenhum tipo de problema, nenhum tipo de animosidade. Apenas e tão somente uma implicância gratuita minha. Em nenhum momento fui indelicada com a moça. Fui educada com ela do início ao fim. Mas aquela pontinha de julgamento e de competitividade estava ali, em mim, sem que eu tivesse muita consciência disso. E quantas e quantas vezes isso nos acontece?

Senti aquela flor como um recado da vida: "Para de ser trouxa, Ruth. Enquanto você avalia o macacão da moça, ela divide as flores dela com você, sem nem te conhecer." Decidi que quero ser que nem ela, todo dia. Quero ser a mulher que faz uma coisa legal para outra mulher sem que haja nenhuma razão específica para isso, sem querer qualquer contrapartida. Não quero ser a mulher que avalia quão hidratado está o cabelo alheio. Quero ser a mulher que distribui flores. Quero ser como a moça de macacão da biblioteca.

Seja o que você quiser ser, minha filha

Há alguns anos eu escrevi num texto que foi publicado no meu blog do *Estadão*:

> *Mulheres deveriam ser as primeiras a não julgar a roupa de uma mulher. A promoção de uma mulher. Os medos de uma mulher. Os defeitos de uma mulher. Porque, como dizem por aí, com a mesma severidade com a qual julgamos, seremos um dia condenados. E a vida de uma mulher é ser condenada diariamente: por estar gorda, por ser bonita demais, por chegar muito tarde, por não ser mãe, por trabalhar demais, por não casar. Precisamos colaborar com essa dinâmica errada?[20]*

Eu confesso que não gosto dessa coisa de fazer o que é certo porque "sabe como é, poderia ser você, a sua irmã, a sua filha, a sua mãe...". Não gosto dessa casuística doméstica e egoísta, na qual precisamos pensar em nós e naqueles que amamos para decidir fazer a coisa que nos parece correta. A gente tem que fazer o certo porque é o que condiz com os valores mais caros para nós, com a ética que buscamos seguir para nortear tudo em nossas vidas, e não por um oportunismo qualquer ou por esperar uma recompensa pelas nossas boas ações. Porque nós temos senso crítico e – espero eu – boas intenções.

De qualquer forma, é bom lembrarmos mesmo dessa noção de que, com a mesma severidade com a qual julgamos, seremos um dia condenadas. Nós precisamos romper o ciclo. Uma mulher diz que julga a outra porque a outra também a julga. Faz algum sentido? Não faz. Mesmo assim a gente continua agindo dessa forma.

O mundo já nos diz constantemente o que devemos ou não devemos fazer. Recentemente, no dia 8 de março, li uma frase nas redes sociais que me deixou muito irritada: "Seja doce como uma menina, tenha a atitude de uma mulher e a classe de uma senhora."

É por frases como essa que o dia 8 de março está sendo trabalhado de uma forma toda errada. Nem no Dia das Mulheres as pessoas deixam as mulheres serem livres. Seja isso, seja aquilo, use antirrugas com colágeno, use creme anticelulite, compre o novo iogurte desnatado com sabor artificial de lichia do Himalaia com ação antirradicais livres.

Olha, francamente, a única coisa que eu tenho a dizer é: SEJA O QUE VOCÊ QUISER, MINHA FILHA. Seja doce, seja salgada, seja amarga que nem uma azeitona chilena. Tenha atitude se quiser, tenha sossego se quiser, tenha 18 parceiros sexuais se quiser, tenha cinco filhos se quiser. Tenha classe se quiser, coloque o dedo no nariz se quiser, use batom azul e coletor menstrual na orelha se quiser.

Apenas faça o que você quiser na sua vida, porque, seja como for, vão julgá-la todo santo dia pelo que você é. Mas lembre-se: se nós, mulheres, pararmos de julgar umas às outras, já teremos eliminado, no mínimo, 50% do problema.

Diversas famílias

Eu tenho dois corações
Dentro e fora do meu lar
Eu tenho dois corações
Já me não podem bastar

Quando a tristeza é tão triste
Qual dos dois sofrerá mais
O que é real não existe

Eu tenho dois corações
Ambos eles irreais

Dois corações, o primeiro
Pertence à rua e ao pecado
O segundo é cativeiro
De quem me fez caminheiro
Sem nunca ter caminhado

– Amália Rodrigues
"Tenho dois corações", in: *Versos*

Não era assim que eu me imaginava nesta idade

Talvez essa seja uma das frases que eu mais ouço das mulheres com quem convivo. Nem sempre de forma expressa, mas quase sempre essa ideia aparece nas entrelinhas durante conversas sinceras. A última foi a minha cunhada, quando fez 27 anos. Fomos jantar na casa da minha sogra e quando só sobramos nós duas na mesa ela me olhou e disse: "Vinte e sete anos... Eu achava que aos 27 a minha vida seria tão diferente..."

E então eu comecei a ter com ela a conversa que já venho tendo há algum tempo com várias amigas e que acabou indo parar nas minhas palestras. Por que será que a gente sempre se sente em dívida com a vida com a qual "sonhou"? Parece que sempre há um desencontro entre expectativa e realidade, como se tivéssemos feito menos, conquistado menos ou realizado menos do que deveríamos.

Mas a verdadeira questão é: será que nós, de fato, sonhamos com o nosso futuro? Será que imaginamos livremente a vida que trilharíamos? Ou será que simplesmente já aceitamos uma ideia pronta que começa a ser inserida na nossa cabeça desde muito, muito cedo? Será que a vida que "a gente idealizou" é mesmo uma vida que surgiu na nossa cabeça e na nossa história ou, no fundo, essa vida nunca foi nossa?

É claro que temos que nos lembrar sempre da pluralidade de mulheres que há pelo mundo. Obviamente, como já dissemos, a minha experiência de vida não representa a experiência da maioria das mulheres. E há uma série de peculiaridades que fazem parte da história, das condições socioeconômicas e das vivências de cada uma, muitas das quais eu não conheço. Mas venho reparando cada vez mais que esse tal "padrão ideal" é implantado em muitas de nós – brancas, negras, de classe média alta, de classe média baixa, nas cidades pequenas, nas grandes – como se fosse um tipo de sonho.

Spoiler: não é.

Pense bem. Não é um pouco estranho que milhares e milhares de mulheres ao redor do mundo tenham sonhado mais ou menos com a mesma vida? Algo que poderia ser, grosso modo, resumido assim:

Aos 18 entro na faculdade.

Aos 23 consigo um bom emprego.

Aos 25 conheço um cara legal.

Aos 27 sou promovida.

Aos 28 nos casamos.

Aos 31 engravido.

Aos 32 sou mãe pela primeira vez.

Aos 34 engravido de novo.

Aos 35 sou mãe pela segunda vez.

Aos 38 estou realizada na vida pessoal e profissional.

Com sutis variações, é esse estranho "sonho" que milhões de mulheres acreditam ter. Na verdade, no fundo, a gente não sonhou com nada disso. Fomos sendo convencidas de que esse era um bom plano graças às coisas que fomos vendo e ouvindo.

Qualquer desvio nesse percurso é tido como algum tipo de falha, frustração ou erro. Não ter a oportunidade de fazer uma faculdade, não conseguir um emprego estável, não se sentir atraída por homens, não ter a carreira meteórica que os filmes mostram, não encontrar a "pessoa certa", não ganhar o dinheiro que o mundo disse que deveríamos ganhar, não querer ou não poder ter filhos... Enfim. O pacote já vem completo e nós definitivamente não somos incentivadas a questioná-lo.

Sim, em 2019 já podemos dizer que o projeto casamento-filhos é muito mais relativizado pelas mulheres do que há 20, 30 ou 40 anos. Mas é como remar contra uma maré muito violenta. Não basta decidir: é preciso explicar, justificar, ser questionada centenas de vezes por curiosos que insistem em sustentar, ainda que de forma velada, que você está se rendendo a um derrotismo e não simplesmente priorizando outros projetos.

Mas realmente a imensa maioria das mulheres ainda nem sequer questiona o circuito estudo → emprego estável → relacionamento monogâmico → maternidade. E segue nessa busca sem ao menos saber se a vida que está vivendo é, de fato, a vida que verdadeiramente desejava. E o pior: se as metas não são alcançadas, a temida frase surge mais uma vez: "Não era assim que eu me imaginava nesta idade."

Ou seja: a maioria de nós está sofrendo por não ter correspondido aos prazos estipulados pelos outros para concretizar sonhos que nem nossos são. Percebem quão insano é tudo isso?

Pensei nas minhas trinta amigas mais próximas (como boa geminiana que sou, para mim é fácil pensar em trinta amigas muito próximas e muito amadas) e analisei se a vida delas, hoje em dia – algumas com 27, outras com 40 – se adequaria aos fatos e prazos que narrei acima, com tolerância de dois anos para mais ou para menos. O resultado: de trinta mulheres fantásticas, 26 não se encaixaram nesses prazos que "a vida" nos dita. Algumas porque nunca encontraram alguém legal, outras porque não tiveram grande sucesso na carreira, umas porque não conseguem ou não querem ter filhos, outras porque se divorciaram ou porque não conseguiram terminar a faculdade. E o pior é saber que muitas delas sofrem por causa dessas supostas frustrações. Será mesmo que isso precisava ser assim?

Spoiler: *você está sonhando sonhos que não são seus*

Imaginemos uma garotinha de cerca de 6 anos que não tivesse sido "contaminada" com contos de fadas, bonecas loiras e magras de salto alto ou conversas sobre como ela deveria se imaginar no futuro. Imaginemos uma menina que só foi incentivada a brincar, estudar e ser ela mesma, sem que houvesse a precoce inserção de "sonhos" na sua cabeça e no seu coração.

Vocês acham mesmo que o sonho dela seria o trajeto universidade → emprego → casamento → maternidade? Ou seria algo como ser astronauta, ser surfista, ser bombeira, ser médica, ser pilota de avião, ser alpinista?

Isso não quer dizer que o fato de querer ser surfista não possa englobar um companheiro ou uma companheira e filhos no futuro. A questão é que o projeto de vida de uma mulher deveria ser o protagonista da sua existência, não simplesmente algo que se adapte a todo aquele padrão que nos impõem desde tão cedo. Quantas de nós já não colocaram sonhos de lado porque eles atrapalhariam nossos "prazos" de casamento e maternidade? Sim, para algumas mulheres o casamento e a maternidade podem mesmo ser o sonho principal. Mas, para outras tantas, não. E essas tantas abriram e ainda abrem mão de muita coisa para corresponder às expectativas que o mundo tem delas.

Nós sabemos que muito provavelmente essa menina de 6 anos não vai entrar na faculdade aos 18, arranjar um bom emprego aos 23, conhecer um cara legal com 25, ser promovida aos 27, se casar aos 28, engravidar com 31, ser mãe aos 32, engravidar de novo com 34, ser mãe de novo aos 35 e se sentir plenamente realizada aos 38. A probabilidade de tudo isso acontecer com ela é infinitamente menor do que a de todas essas coisas não acontecerem bem assim. (Pelo menos não tudo, e não nesses prazos.) E mais: isso é um castelo de cartas. Nada disso é garantia de felicidade.

E sabe o que é o pior? Essa menina vai sofrer por não corresponder a esses prazos cruéis e muitas vezes sem sentido, sem saber que seu verdadeiro sonho talvez fosse ser uma grande surfista e que, se tivesse canalizado suas energias para isso, talvez aos 38 ela fosse uma mulher muitíssimo feliz – com ou sem um relacionamento estável, com ou sem filhos.

E eu lá quero essa vida?

Eu tenho uma amiga absolutamente maravilhosa que, não se sabe exatamente o porquê, nunca embarcou em praticamente nenhum desses tais "sonhos" que normalmente são implantados na nossa cabeça. Uma alma livre, eu diria, que parece não dever nada a ninguém. Ela simplesmente vive, trabalha e é legal com as pessoas. Falando, até parece simples, né?

Ela fez faculdade e conseguiu um bom emprego, seguindo um pouquinho daquele tal trajeto "dos sonhos", mas acho que essa é a única parte mais positiva e equilibrada entre os gêneros. Porém minha amiga fez algo estranhamente raro para uma mulher: ela se utilizou dos seus estudos e dos frutos que colheu no trabalho para construir seus verdadeiros sonhos e a sua liberdade.

Da última vez que nos falamos ela estava na Nigéria, fazendo um trabalho sobre planejamento familiar com mulheres muçulmanas. Pouco antes disso, estava morando no Rio de Janeiro, num lugar superbacana, trabalhando numa empresa de consultoria. Mas antes tinha feito um mochilão de seis meses pela Ásia, completamente sozinha. E antes disso teve um namoro legal, mas que, num dado momento, não fez mais sentido. E antes disso fez um intercâmbio sei lá onde.

Se eu queria a vida dela para mim? Provavelmente não. Eu estou bem feliz com a vida que construí, mas fico imaginando se essa minha amiga tivesse sido criada numa família tradicional, com dogmas rígidos sobre os papéis de gênero, que cobrasse dela um relacionamento estável, um casamento e lindas criancinhas saltitantes quando ela tivesse 32 anos. Quão infeliz ela teria se tornado? Quão contra a sua própria natureza ela teria vivido?

Nós precisamos nos questionar. Será mesmo que eu quero uma carreira dessas nas quais é preciso trabalhar até tarde para conseguir uma promoção? Será mesmo que eu quero um relacionamento monogâmico com alguém do sexo oposto? Será que eu quero ser mãe? Simplesmente ir vivendo, sem questionar os nossos rumos, é uma coisa perigosa e pode facilmente nos levar para estradas de frustração e infelicidade.

Dá um tempo, que a tristeza vai passar
Adoro a música "Verdade chinesa", que ficou famosa na voz do

Emílio Santiago (e que mais tarde ganhou uma versão deliciosa na voz do Diogo Nogueira). A letra diz: "Muita coisa a gente faz seguindo o caminho que o mundo traçou, seguindo a cartilha que alguém ensinou, seguindo a receita da vida normal. Mas o que é a vida, afinal?" Será que a nossa vida é mesmo isso? Esse roteiro que o mundo – machista e patriarcal, diga-se de passagem – nos enfiou goela abaixo? Será que a vida precisa mesmo ser só isso?

Precisamos pensar, porque ainda dá tempo. Sempre dá tempo. Dá tempo de fazer novos planos, de nos dedicar a novos projetos, a sonhos verdadeiros que ficaram ali, quietinhos no canto, enquanto os falsos sonhos nos atropelavam com seus prazos peremptórios. Precisamos nos conhecer melhor e entender se a vida que estamos levando é a vida que vai fazer com que sejamos realizadas no futuro.

Como eu mesma já escrevi, existe uma grande diferença entre ter sucesso e ser realizada. Sucesso é aquilo que os outros acham da nossa performance na vida. Realização é aquilo que a gente sente, que só a gente sabe. Devemos buscar a realização. O sucesso não passa de uma grande bobagem que não garante felicidade nenhuma.

Percebo que frequentemente a nossa angústia profunda (que pode ser a carreira que não deslancha, a "cara-metade" que não aparece, o casamento que não funciona, a gravidez que não acontece) é algo que, no fundo, poderia nem ser uma condição essencial para a nossa felicidade, mas que já nem questionamos mais. Sentimos uma profunda tristeza e muita frustração por planos que nem sabemos bem se eram os nossos – frequentemente mais preocupadas com o que os outros pensam sobre a nossa vida ("coitadinha, não teve *sucesso* no amor") do que com a busca pelas nossas próprias verdades.

A música do Emílio Santiago segue dizendo: "Senta, se acomoda, à vontade, tá em casa, toma um copo, dá um tempo, que a tristeza vai passar. Deixa pra amanhã, tem muito tempo, o que vale é o sentimento e o amor que a gente tem no coração." E que esse tal amor seja o amor-próprio, o amor pela nossa vida, não o falso amor por esse tal caminho que o mundo traçou.

E os namoradinhos?

Você chega a uma festa de família. Há ali reunidas pelo menos 15 pessoas que você não vê com muita frequência. Dentre elas, podemos listar:

Tia Vanda, 74 anos, irmã mais nova do seu avô, dona de casa.

Leila, 48 anos, prima da sua mãe, professora de inglês.

Carlos, 49 anos, marido da Leila, bancário.

Flávia, 29 anos, filha de um primo da sua mãe, servidora pública.

Renato, 35 anos, não se sabe bem filho de quem nem o que ele faz da vida, mas todo ano ele está ali.

Você chega à festa e tudo o que você quer é pegar uns pedaços de pão de alho e se sentar no sofá com a sua avó. Ou pegar uma cerveja e conversar com a Ju, sua prima que é uma grande amiga. Ou simplesmente pegar aquele seu livro que está na bolsa e se sentar com ele num cantinho escondido. Acontece que, no trajeto até o pão de alho, a cerveja ou a bolsa, seu caminho é interceptado.

Tia Vanda, que nem sabe muito bem se você é a Marina, filha do Pedro, ou a Bia, filha do Henrique, interrompe seu caminho e, vendo que você está desacompanhada na festa, pergunta, sem constrangimento algum, em voz alta: "E ENTÃO? E OS NAMORA-DINHOS?" Você suspira. Puxa paciência e educação de dentro da alma e diz: "Não estou namorando, tia." Na sequência, ela inicia um simpático sermão, dizendo que quando tinha a sua idade já estava casada havia seis anos e era mãe do Rubens e da Vânia. Você sorri e diz "Pois é", tentando seguir sua cruzada rumo ao pão de alho.

Quando você chega à churrasqueira, vê que o Carlos está pilotando o churrasco e que Leila está ao lado dele. Carlos pergunta: "E o Mateus? Era Mateus, não era?" Você respira e, na vã esperança de que haja algum respeito à sua privacidade, diz: "Era. Nós não estamos mais juntos." Mas claro que não há, né? Vida de mulher é patrimônio público. Perguntam o porquê, dizem que ele era ótimo – embora não saibam absolutamente nada sobre a sua história – e que você deveria ter tentado mais um pouco, que assim você ainda acaba sozinha. Depois começam a falar que a vida deles só é tão feliz por causa do casamento. E do Carlinhos. E da Bárbara. E da Cacau, a poodle vesga. Você acha mais fácil concordar do que argumentar que eles não precisam – nem têm o direito de – dizer nada disso.

Você finalmente consegue seu pão de alho e se senta no sofá, ao lado da sua avó, apoiando a cabeça no ombro dela. Tia Vanda aparece e comenta com a sua avó, como quem não quer nada: "Viu como a Flávia está feliz? Ela e o Eduardo vão se casar em setembro. Ela é concursada, você sabe, né, Rita? No Tribunal Federal da União. Não. É Banco Federal da União. Não. Acho que é Tribunal Federal de Contas. Enfim, os pais não poderiam estar mais contentes." Você come seu pão de alho sem dizer nada até sua avó conseguir despachar a Vanda de lá e dizer "É uma abelhuda essa irmã do seu avô", como quem de alguma forma a consola por aquelas pequenas agressões gratuitas.

Quando você acha que já passou pelo suficiente, Renato entra em campo. Vocês mal se conhecem, mas ele diz: "Você tá solteira, né? Preciso te apresentar para um amigo meu, o Odair. Ele se separou no começo do ano. É contador. Tem três filhos, mas a guarda ficou com a mãe. Sorte dele, hahaha. Já basta ter que pagar pensão. Marcamos de jogar sinuca hoje às oito. Não quer ir?" Você já não tem mais forças. Seu limite já tinha estourado na churrasqueira quando perguntaram do Mateus. Você só quer mandar o Renato, o Odair e seus tacos de sinuca à merda. Mas, sabe como é, né, você é mulher. Você acaba sorrindo pro Renato e dizendo que não quer conhecer ninguém agora.

O mais curioso é que o João, seu irmão, que tem quase a mesma idade que você, também está na festa. E também está desacompanhado.

Mas a tia Vanda não disse nada para ele. E o Carlos e a Leila não discorreram sobre o sentido da vida e do matrimônio para o João. E ele não foi comparado com a Flávia, nem tentaram empurrá-lo para uma mulher divorciada que abriu mão da guarda dos filhos e que já achava que fazia muito por pagar a pensão ao marido que cuidava deles. Curiosa a vida, né?

Vida de mulher não é patrimônio público

Dessa pequena-crônica-não-tão-improvável-das-festas-de-família, a coisa sobre a qual mais temos que pensar é essa ideia de que a vida da mulher é patrimônio público. Num texto que escrevi quando a minha irmã estava grávida, falei que as pessoas pensam que barriga de gestante é patrimônio público, que têm direito de opinar, julgar, dizer o que está certo e o que está errado. Mas eu estava enganada. Não se trata apenas da barriga da gestante, e sim da vida da mulher como um todo.

As coisas que dizem a uma menina são infinitamente mais invasivas do que as que dizem a um menino. Observações sobre a aparência – roupa, cabelo, sapato, cor do olho, cor da pele –, sobre a forma de se sentar, sobre se comportar como uma princesa, sobre já ter ou não "virado mocinha". Para os meninos, o mais longe que se vai é perguntar para que time ele torce. E conforme vamos crescendo, a situação só piora.

Nos perguntam sobre os namoradinhos, sobre o porquê de termos terminado relacionamentos, sobre os novos namorados, sobre o potencial casamento, sobre quando pretendemos ter filhos (e quase nunca sobre "se" pretendemos tê-los), sobre quando vem o próximo bebê, sobre a educação das crianças, sobre os erros do marido, sobre quando vêm os netos, sobre a casa, o corpo, o emprego, a menopausa, os netos, as noras, os genros, os salários, o começo, o meio e o fim. Ninguém se constrange muito em fazer essas perguntas às mulheres. É como uma zona franca da curiosidade.

A historiadora Rebecca Solnit, no seu livro *A mãe de todas as perguntas*, conta que, certa vez, durante uma palestra ministrada por ela sobre a obra de Virginia Woolf, uma pessoa perguntou por que Virginia Woolf não tivera filhos. Ela ficou meio desconcertada com a pergunta, mas respondeu que, ao que consta, a escritora até tinha pensado em ser mãe, sobretudo após ver a alegria de sua irmã, Vanessa, com a maternidade, mas depois achou mais prudente não ter filhos, especialmente em virtude da sua instabilidade psíquica. Fala-se também na simples vontade de dedicar sua vida integralmente à escrita.[21]

A historiadora achou que a conversa se encerraria ali, mas, quando deu por si, percebeu que não havia mais espaço para falar sobre a obra de Virginia Woolf porque todos estavam mais interessados em falar sobre os filhos inexistentes da escritora e suas razões e decorrências. Em suas palavras: "Ficar especulando sobre o status reprodutor de Woolf constituía um desvio absurdo e enfadonho das magníficas questões presentes na sua obra." As pessoas estavam mais preocupadas em saber coisas sobre a vida privada de Virginia Woolf do que interessadas nos seus escritos.

Em seu livro, Rebecca Solnit, que também não teve filhos, fala sobre sua própria experiência a respeito do assunto. Ela destaca como até mesmo gente desconhecida se sente à vontade para fazer essa pergunta para as mulheres. Em suas palavras:

> Uma das minhas metas na vida é me tornar rabínica o suficiente para conseguir responder perguntas fechadas com perguntas abertas, ter autoridade interna para frear a aproximação de intrusos e pelo menos me lembrar de questionar: "Por que é que você está me perguntando isso?"

Essa pergunta é um tesouro. Precisamos levá-la diariamente conosco. Trata-se de um verdadeiro instrumento de liberdade.

Por que é que você está me perguntando isso?

"Por que é que você está me perguntando isso?" Desde que li *A mãe de todas as perguntas*, venho tentando me condicionar a utilizar efetivamente essa pergunta ao longo dos meus dias. É um desafio e tanto. Já estamos tão condicionadas a nos deixar invadir que a mera utilização de uma pergunta simples e nada agressiva como essa nos deixa com a sensação de estarmos sendo grosseiras.

São anos e anos nos quais fomos inconscientemente treinadas para responder educadamente às perguntas que nos fazem e para, em raros casos, simplesmente desviar de questionamentos invasivos. Ninguém nos treinou para estabelecer limites nem para dizermos "Peraí, meu estado civil não é debate no almoço do domingo"; "Peraí, o cronograma do meu útero é assunto meu, não dos outros"; "Peraí, o que eu como durante minha gravidez diz respeito a mim e ao meu médico, e não a estranhos".

Precisamos, mesmo que lentamente, começar a delimitar até onde as pessoas podem entrar na nossa vida – que, lembremos, não é patrimônio público, mas uma vida privada, com direito a intimidade, como a vida de qualquer homem. Chocante, né?

Até porque nós sabemos bem que a pergunta "E os namoradinhos?", assim como todas as suas variações, começa a surgir na vida de uma mulher aos 13, 14 anos e só deixa de existir quando ela apresenta alguém nas festas de família, no trabalho, aos amigos dos pais. Mas a pergunta deixa de ser feita não porque as pessoas estão satisfeitas. Ela só desaparece porque dá lugar a outra questão: "E então, quando sai esse casamento?"

Quando sai esse casamento?

Lembro-me bem do episódio no qual uma grande amiga, ao se divorciar, me disse a seguinte frase: "Bom, pelo menos não morro solteira. Divorciada, sim, mas solteira, que ninguém quis, não." No momento dei risada e confesso que até achei que aquele era um autoconsolo válido para um momento difícil.

Pode parecer uma bobagem, mas essa história me faz pensar muito sobre quanto as nossas cabeças ainda estão marcadas pela ideia de que a mulher que não se casa – ou que não vai viver junto com outra pessoa – é uma mulher que falhou perante a vida.

O homem que chega aos 40 ou 50 anos sem se casar frequentemente é visto como fanfarrão, o Don Juan, ou aquele que simplesmente "não sossega" porque gosta de sassaricar por aí com muitas mulheres diferentes. Ou seja, o homem que não se casa é visto como um conquistador nato, que escolheu não assumir um compromisso com nenhuma mulher, apesar da suposta fartura de opções. De certa forma, ser considerado "o conquistador que não sossega" também é algo que pode ser visto como mais uma chancela de sucesso para um homem.

Por outro lado, a mulher que chega aos 40 ou 50 anos sem se casar é automaticamente vista como aquela que não foi boa o bastante para "segurar" nenhum homem, como a coitada que ninguém quis, como a mulher que falhou perante a vida. Ninguém cogita que tenha sido uma intenção deliberada não assumir um compromisso a longo prazo ou a simples vontade de preservar 100% da própria liberdade.

Não se casar frequentemente é uma demonstração de muito mais bom senso do que a decisão de se casar a qualquer custo. Vemos ao nosso redor dezenas de casamentos que, logo no início, já sabemos que não são uma boa ideia. E não raramente as pessoas que vão se casar também sabem que aquilo não vai funcionar a longo prazo, mas a pressão é tão grande que acabam fechando os olhos para verdades evidentes, buscando algo que oscila entre o sonho e o status.

Em primeiro lugar, o que precisamos colocar na cabeça é a noção de que o casamento é uma *opção* na vida, não uma *meta* a ser alcançada. Se alguém bacana aparecer no caminho e esse parecer um projeto que faz sentido para os dois (ou para as duas), legal. Se alguém bacana aparecer, mas a vontade for a de manter um namoro, cada um no seu canto, ótimo. Se não aparecer ninguém que nos desperte a vontade de manter um relacionamento estável, tudo certo também. Há muitas formas distintas de ser feliz. E muitas formas diferentes de ser infeliz também. O casamento pode ser qualquer uma das duas.

Por isso hoje diria àquela minha amiga que se separou: "Não importa, querida." Não importa se há um documento dizendo que você morreu casada, solteira, divorciada, em união estável ou viúva. A única coisa que vai importar quando você morrer é se você viveu uma vida feliz ou não. E se eu tenho uma certeza cada vez maior nesta vida é a de que o estado civil diz muito pouco sobre a nossa felicidade. Há casamentos verdadeiramente miseráveis e traumáticos e há solteirices deliciosas. Assim como há gente casada muito mais solitária do que gente solteira. E, claro, há casamentos felizes. Mas, vou lhe dizer, pois ninguém me avisou sobre isto: ser casada é difícil pra caramba.

União, interseção e diferença

Pois é. Muita gente diz: "Pense bem antes de ter filhos, porque é maravilhoso, mas é muito difícil." Mas ninguém veio me falar isso sobre o casamento. Parecia que casamento era uma coisa razoavelmente tranquila e natural e que toda a turbulência que afeta essa adorável instituição origina-se na maternidade, na paternidade, nas fraldas, nas mamadeiras e nas decisões sobre a educação das criancinhas.

Surpresa! Não é. Casamento não é uma coisa fácil e deliciosa. Às vezes até pode ser deliciosa, mas muito raramente é fácil. Pelo contrário. Se já é difícil conviver com os nossos irmãos, com quem crescemos juntos, recebendo uma educação muito semelhante, imagine conviver com uma pessoa que, na maioria das vezes, nós só conhecemos depois de adultos e que cresceu com regras muito diferentes das nossas.

O meu caso é um ótimo exemplo: eu sou mulher, ele é homem; eu sou brasileira, ele é português; nós temos quase 10 anos de diferença; eu sou de humanas, ele é de exatas; eu sou geminiana, signo de ar, ele é capricorniano, signo de terra. Eu cresci numa casa térrea em São Paulo que era uma verdadeira festa, com um irmão, uma irmã, uma afilhada do meu pai que passava boa parte do ano conosco, uma tartaruga, pai, mãe, a Maria, nossa mais do que querida empregada que morava lá em casa, além de uma população flutuante de amigos, namorados, avós e tias nos visitando com frequência. Já meu marido é filho de pais divorciados, foi filho único até os 12 anos e passou anos vivendo uma parte do tempo só com a mãe e outra parte só com o pai.

É natural que sejamos pessoas diferentes, não? Que nossas ideias de "casa" sejam muito diferentes, que as regras às quais estivemos habituados durante um período muito longo da vida sejam distintas e que, obviamente, conciliar tudo isso não seja uma tarefa simples. Nós somos o produto da nossa história, e harmonizar cada diferença debaixo do mesmo teto é uma coisa realmente complicada.

Soma-se a isso uma imensa lista de coisas que parecem detalhes, mas que, no fim das contas, podem levar muitos casamentos para o buraco: a forma como cada um lida com o dinheiro, quanto cada um se importa com a organização da casa, as preferências de viagem nas férias, o horário de dormir, o horário de acordar, o tipo de alimentação escolhida para o dia a dia, a disposição para o sexo, a vontade de dormir abraçado ou não, os hábitos de consumo, os tipos de interesse, a dinâmica da vida social... Enfim, é muita coisa para harmonizar. Mesmo.

É claro que as pessoas não precisam fazer tudo juntas, mas é inevitável que as coisas se entrelacem em alguns pontos. Aliás, é mais do que inevitável: é desejável e necessário. Lembram-se de quando aprendemos a "teoria dos conjuntos" na escola? Acho que essa matéria deveria ser dada de novo quando decidimos nos casar ou viver junto com alguém.

Existe o conjunto "Pessoa" (A) e existe o conjunto "Cônjuge da Pessoa" (B). Se a gente tentar colocar um em cima do outro, confundindo tudo o que cada um contém, querendo que o conteúdo todo de um coincida com o do outro (União de A com B, ou A U B), já era. A gente mata a existência dos dois e todo mundo fica infeliz. Por outro lado, se os conjuntos ficarem cada um do seu lado, sem nunca se entrelaçar, criam-se duas existências separadas, sem que haja uma área de encontro do casal, abrindo as portas para a distância se instalar entre os dois.

É difícil, mas a gente tem que aprender a cruzar uma parte dos conjuntos (Interseção de A e B, ou A ∩ B) e a manter outra parte intacta e preservada (Diferença entre A e B, ou A - B). Ou seja, há a Pessoa, há o Cônjuge da Pessoa e há Pessoa & Cônjuge da Pessoa. São três coisas diferentes. A existência de um, a existência do outro e a existência conjunta. Tem que haver pontos de encontro e tem que haver individualidade.

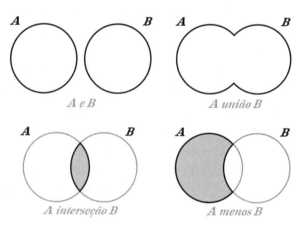

A e B   A união B

A interseção B   A menos B

E venho trazer mais complicações: nós, mulheres, frequentemente tendemos a anular a nossa existência em face da existência de um cônjuge. Basta olhar ao redor: nossas mães, tias, avós... Quantas delas deixaram de existir enquanto mulheres e indivíduos para existir apenas como esposas? Ou como esposas e mães? É uma cilada. Algumas décadas atrás isso era natural, hoje já não é (e acredito que, atualmente, a maioria de nós não seja capaz de ser feliz sem respeitar a própria individualidade), embora seja algo que continue acontecendo.

Ser casado é difícil pra caramba, mas é ainda mais complicado se a gente não entender o limite entre o eu e o outro nem criar pontos de encontro dentro do casamento. E o machismo (que, lembremos sempre, oprime as mulheres, mas também oprime os homens) não colabora em nada para que as coisas fiquem mais fáceis.

HOMENS. NÃO. SÃO. BEBÊS.

Cuidado. Se você ganhar mais do que o seu marido, ele vai se sentir ameaçado. Cuidado. Se você se ausentar demais de casa, ele pode acabar procurando algo na rua. Cuidado. Se você não se cuidar depois de se casar, o sexo acaba rapidinho. Cuidado. Se você se dedicar demais aos filhos, seu marido vai ficar muito carente. Cuidado. Se você não cuidar do seu marido, alguém cuida por você. Cuidado. Se você maternalizar demais a relação, ele deixa de te ver como mulher. Cuidado. Se você trabalhar demais, ele pode sentir que você não liga para a casa. Cuidado. Se você não trabalhar fora, ficará dependente do seu marido. Cuidado. Se você colocar regras demais na casa, ele vai preferir ficar no bar. Cuidado. Se você não estiver bonita para ele, o romance acaba. Cuidado. Se você for muito carente, ele perde a paciência. Cuidado. Se você for independente demais, ele se sente dispensável. Cuidado. Cuidado. Cuidado.

Como poderíamos não estar exaustas? Nos incumbiram de ser 100% responsáveis pelo êxito de uma relação conjugal. Se der errado, acham que não fizemos bem o nosso papel. E, acima de tudo, nos impõem regras (ou "conselhos") absolutamente antiquadas e marcadas pela mentalidade machista, colocando os homens como as criaturas frágeis que estão sempre à mercê do comportamento das mulheres, em vez de mostrar que o casamento é uma via de mão dupla, na qual ambos são responsáveis por tudo.

Existe uma espécie de terrorismo que paira sobre a cabeça de muitas mulheres casadas. Se você não fizer isso, acontece aquilo. Se você disser aquilo, acontece isso. Uma constante sensação de andar na corda bamba, como se seu marido fosse um misto de criança e bomba-relógio que pode explodir infantilmente a qualquer momento, fazendo com que todo um projeto de vida desmorone automaticamente.

Chega de infantilizar os homens. Em qualquer instância – inclusive dentro do casamento. Isso não tem nada a ver com aquela coisa gostosa das relações, na qual um cuida um pouquinho do outro, homem ou mulher, com atenções, cafunés e alguns mimos. Isso é bom, de ambas as partes. O que precisamos parar de fazer é enxergar mulheres como pilares e homens como "moleques" que não sabem bem como agir. Eles sabem, e sabem tão bem – ou tão mal – quanto nós.

Escrevi num texto chamado "Homens, os eternos bebês da sociedade", que fiz em 2019 para o *Observador*:

Quantas e quantas vezes vemos homens de 18, 25, 32, 39, reduzidos a "rapazes", "moleques" ou "meninos", nos momentos em que é conveniente lhes subtrair a responsabilidade? E quantas e quantas vezes meninas de 12, 15, 17 anos são tratadas como adultas e senhoras das suas próprias escolhas? Há algo de muito errado nisso.

(...)

Por vezes parece que a suposta imaturidade social masculina pode ir até a casa dos 60 anos, quando começa a ser substituída pela alegação de senilidade. Sempre que há uma acusação grave contra um homem (de preferência um homem branco, já que homens negros não costumam poder usufruir dessas presunções favoráveis, sendo equiparados a mulheres, nesses casos), das duas uma: ou ele era imaturo

demais para medir as consequências, ou ele já estava velho demais
para mudar ou para entender que deveria agir de outra forma.[22]

O casamento precisa ser uma coisa pensada, por uma série de razões. Primeiramente porque é um grande passo na vida, que exige muita vontade, paciência, parceria e perseverança. Mas também precisa ser pensado como uma mera opção, e não algo fundamental para a nossa realização como mulher ou como ser humano. Ser casado não torna ninguém mais completo, porque a completude – e a incompletude – está em nós, não nos outros.

Até porque nós sabemos bem que a pergunta "Quando sai esse casamento?", assim como todas as suas variações, começa a surgir na vida de uma mulher assim que ela apresenta um namorado qualquer à família e aos amigos, e só deixa de existir quando ela efetivamente se casa ou "pelo menos" vai viver junto com o namorado. Mas a pergunta deixa de ser feita não porque as pessoas estão satisfeitas. Ela só desaparece porque dá lugar a outra questão: "E então, quando é que vem um bebê?"

Quando é que vem um bebê?

ANTES DE FALAR sobre maternidade, sobre ter ou não ter filhos, sobre às vezes estar absolutamente exausta das criaturas amadas, temos que conversar sobre um assunto sério e primordial. Planejamento familiar não é papo de boteco.

Papo de boteco, para os fins deste texto, é todo papo que pode ser colocado ao redor de uma mesa sem constranger nem invadir a privacidade de ninguém. Séries são um bom papo de boteco. Futebol. O novo sabor da Fanta. Dois atores de novela que começaram a namorar. Previsão do tempo. Programação das férias. O filhote de panda que nasceu num zoológico da China. Estreias do cinema. Enfim, não é difícil identificar os temas que servem para conversas leves, em ambientes pouco privados – sejam eles botecos, festas de família, salas de espera do dentista ou jantares da empresa. E é ainda mais fácil entender que questões envolvendo a programação do útero ou do coração de uma família nunca devem ser papo de boteco.

Não é legal (especialmente se somos mulheres) disparar perguntas como:

Você quer ter filhos?
Você vai ter filhos?
Quando você vai ter filhos?
Com que idade você quer ter filhos?
Que idade tem seu marido?
Você toma pílula?

Quando vai parar?

Você tem DIU?

Quando vai tirar?

Você está tentando engravidar?

Com ou sem acompanhamento médico?

Vai tentar inseminação?

Não tem medo de gêmeos?

Já pensou em adotar?

Você come sushi na gravidez?

Você bebe vinho na gravidez?

Não tem medo de diabetes gestacional?

Parto normal ou cesárea?

Com ou sem anestesia?

Humanizado ou não?

Obstetra ou doula?

Tem conseguido amamentar?

Quantos meses você amamentou?

Bebe cerveja amamentando?

Quando você vai ter outro filho?

Você não vai deixar seu filho ser filho único, né?

Não prefere ter outro logo na sequência?

Não acha que três é muito?

Tem noção das despesas, né?

Não, gente. Não. Nenhuma dessas perguntas deve ser feita a pessoas com as quais você não tem intimidade. Nem para pessoas com as quais você tem intimidade, se não for num ambiente privado. Não importa se é sua irmã, sua prima, sua nora, sua melhor amiga. Essas são conversas para se ter com cuidado, se houver abertura para isso, no momento certo.

Eu já disse e repito: vida de mulher não é patrimônio público. Útero de mulher não é patrimônio público. Coração de mulher não é patrimônio público. O planejamento de uma família não é patrimônio público. Privacidade e intimidade têm que ser ideias muito claras.

Nós não deveríamos ter que nos habituar às perguntas invasivas nem a lidar com isso com naturalidade. Por essa razão, como mulheres, devemos ser as primeiras a ter cuidado, pensando duas ou três vezes no que perguntamos, a quem, onde, quando e como. Nossa vida não tem que ser um livro aberto.

Não ter filhos: tudo bem

Superada essa questão, passamos ao nosso segundo ponto sobre esse assunto. Então vamos lá. Todas juntas, repetindo este lindo mantra: Tudo bem não ter filhos. Tudo bem não ter filhos. Tudo bem não ter filhos. Tudo. Bem. Não. Ter. Filhos.

Já falamos aqui sobre a quantidade de projetos que nós consideramos automaticamente sonhos nossos, sem questionar se aquilo realmente faz sentido na nossa vida. Carreira, casamento, filhos. Temos que nos perguntar, com calma, se é isso que queremos. E aceitar que tudo bem se não for.

Não faltam textos, imagens, campanhas publicitárias e conversas inconsequentes dizendo que a mulher só é completa com a maternidade, ou que só se conhece o amor verdadeiro quando se tem filhos. Isso, além de falso, é extremamente cruel. Não conhecemos a história nem os anseios de todas as pessoas que nos cercam, e tachá-las de incompletas ou de ignorantes em termos de amor pelo simples fato de não terem filhos é algo realmente inaceitável.

Rebecca Solnit, aquela que teve sua palestra sobre a obra de Virginia Woolf sequestrada pela obsessão pelos filhos que a escritora não teve, também conta que certa vez deu uma entrevista na qual contou que seu pai era um homem muito violento. A entrevistadora, então, questionou se era por isso que ela não conseguia encontrar um companheiro. Ou seja: o fato de a mulher não ser casada e/ou não ter filhos é automaticamente associado a uma falha, uma incapacidade, um deslize, nunca a uma simples escolha.

Sobre não ser casada e não ter filhos, a autora escreveu:

Tenho feito da minha vida o que decidi fazer, e não era isso que minha mãe ou a entrevistadora imaginavam. Decidi escrever livros, estar cercada por gente inteligente e generosa e ter grandes aventuras. Algumas dessas aventuras incluem homens – casos passageiros, grandes paixões e relações duradouras – e incluem também desertos distantes, mares árticos, cumes de montanhas, levantes e desastres, exploração de ideias, arquivos, registros e vidas.[23]

Faço questão de citar esse trecho porque acredito que optar por não se casar nem ter filhos é algo tão natural quanto optar por se casar e ter filhos. Estamos no século XXI, é hora de entender isso de uma vez por todas e parar de tentar convencer os outros de que a fórmula que adotamos para a nossa vida é a ideal.

Se a sua experiência com a maternidade foi o que mais lhe trouxe felicidade na vida, ótimo. Você pode, numa roda de amigos, falar sobre isso. Pode contar as delícias que descobriu na vida de mãe e como isso a transformou como pessoa. Mas fale sobre a sua experiência em vez de tentar convencer outras mulheres de que a vida delas só fará sentido se essa meta for cumprida.

Ademais, precisamos lembrar que, em muitos casos, há mulheres que gostariam de ter filhos, mas que, por alguma razão, não conseguem. Isso é muito mais frequente do que imaginamos e pode se dar por vários motivos. Por isso, mães felizes, pensem duas vezes antes de tecer longos discursos sobre a bênção que é ter filhos. Vocês podem estar ferindo alguém de uma maneira que nem imaginam.

Em muitos casos, a decisão de não ter filhos pode ser muito mais sensata do que a de tê-los. Uma pessoa que reflita – sobre suas prioridades, sua estrutura familiar e emocional, a forma como lida com o trabalho – e, por alguma razão, conclua que não quer ter filhos é obviamente uma pessoa dotada de bom senso.

Há quem diga que não ter filhos é uma decisão egoísta. Todavia me parece que egoísmo mesmo é aquilo que faz com que alguém opte por ter filhos por vaidade. Egoísmo é ter filhos que não recebem a atenção, o afeto e o cuidado que qualquer criança merece dos pais – sejam eles trabalhadores ou não, homem ou mulher. Optar por não ter filhos não tem a ver com egoísmo. Deixar de viver a maternidade tradicional não afasta ninguém da real vivência do amor. Egoísmo e falta de amor é julgar a decisão de outra pessoa inserida num contexto que não é o seu.

A *maternidade tem muitas faces*

Há muitas formas de ser mãe sem precisar parir ninguém. Além da adoção, que é uma maternidade tão intensa e completa quanto qualquer outra, há inúmeras mulheres – avós, tias, madrastas e tantas outras – que desempenham com maestria o papel de mãe em situações familiares diferentes.

Minha experiência como madrasta me mostra isso com clareza. Quando conheci minha enteada, ela ainda não tinha completado 4 anos. Agora ela já é uma pré-adolescente. O meu relacionamento nunca foi só com o Filipe. Foi sempre com o Filipe e a Francisca. E quando decidimos viver juntos, tive que decidir também viver com uma criança cuja guarda é compartilhada 50% do tempo com a mãe e 50% com o pai. Ou seja, eu faria parte da vida dela na mesma intensidade e quantidade de tempo que qualquer um deles. E esse foi um compromisso tão delicado de assumir quanto uma gravidez.

Hoje tenho orgulho de dizer que minha bolsa tem restos de bolachas meio comidas e, de vez em quando – e por alguma razão desconhecida –, um pé de meia da Francisca. A agenda do meu celular tem "Carol mãe da Maria" e "Ana mãe da Mariana" para combinar brincadeiras nos fins de semana e trabalhos de escola. Eu, no domingo à noite, estudo frações e os nomes dos vegetais em inglês. Eu carrego lancheiras e compro o queijinho que ela gosta de levar para a escola. Eu compro uma manga madura para mim e para o meu marido e uma meio verde para ela que, por algum motivo, só gosta da manga quando está dura e sem graça. Eu acordo por causa dos pesadelos e não durmo direito por causa das tosses. Em certos dias da semana levo e busco na escola, falo com a professora. Às vezes deixo de comprar um sapato novo para mim para comprar um tênis para ela. Digo que não, ela não pode comer o terceiro chocolate, e que sim, precisa tomar a sopa até o final. Digo para ela não deixar as roupas no chão nem pisar com o tênis no sofá. Eu faço cafuné e cheiro o cabelo para ver se precisa lavar. Eu compro o presente de aniversário do Pedro, da Carolina, do Tiago, da Inês. Eu cato incontáveis brinquedos espalhados entre o quarto e a cozinha. Eu faço carinho na testa até que ela adormeça.

Não, eu nunca fiquei grávida. Não, eu ainda não sou mãe – até porque a Francisca tem mãe, uma ótima mãe, e esse lugar é e sempre será dela. Mas quando alguém me pergunta se eu tenho filhos, minha resposta é: "Sim, tenho uma enteada." Há quem não entenda, mas a maternidade está presente em cada um dos meus passos desde que eu conheci essa menina. Que sorte a minha. Que sorte a nossa.

***

Além desse "salve" que faço questão de deixar a todas as madrastas, tias, avós, amigas e outras mulheres que criam com amor crianças que não são filhas suas, também faço questão de deixar registrada toda a minha admiração pelas mulheres que criam seus filhos sozinhas.

Mesmo que possam contar com a valiosa ajuda de familiares que dão suporte a essa árdua tarefa, é muito difícil não contar com a presença de um pai – ou de qualquer outra pessoa com quem se possa dividir por igual essa responsabilidade –, seja qual for a razão dessa ausência.

Mães solo, vocês são gigantes. E, por favor, nunca se esqueçam de que suportar tudo sozinha não é natural nem obrigatório. Por trás de toda mãe que faz 100% (ou 95%, ou 87%, ou 76%...) há um pai (ou outra mãe) que não está fazendo os seus 50%.

Sigam em frente, peçam ajuda, falhem de vez em quando, não se culpem, cuidem de si mesmas e, acima de tudo, exijam os seus direitos de mãe. Nenhuma de nós tem que ser uma super-heroína todos os dias. Mesmo que vocês, na prática, acabem sendo.

Limites, seus lindos

Da mesma forma que não há problema nenhum em não ter filhos, também não há nada de errado em querer ter um monte de filhos. Por exemplo, para mim, três já é um monte. E há quem queira três, quatro, cinco ou onze filhos. E tudo bem também. Basta apenas que as partes envolvidas nesse projeto estejam de acordo. Ninguém mais tem que opinar.

Mas todo mundo opina.

Opina se você não quiser ter filhos, opina se você quiser ter muitos. Opina se você disser que vai ter só um. Ou só dois. Ou se disser que quer ter um cachorrinho daqueles que têm umas patinhas bem curtas. Você é mulher, vão opinar em tudo. E você vai ter que aprender a não se importar com isso. E a estabelecer limites. Limites, sempre os tais maravilhosos limites! Precisamos deles. ♥

Uma prima do meu marido, que hoje eu também já posso chamar de minha prima, tem cinco filhos, todos meninos. O mais novo tem 2 anos e o mais velho, 17. Todos são saudáveis, educados, felizes e deliciosamente diferentes um do outro. Era para essa informação ser suficiente, não? Ela e o marido fizeram essa escolha e todos estão bem e felizes.

Mas não. Você é doida. Não é possível. Como você aguenta? Por que você fez isso? Estava querendo uma menina a cada gravidez?

Como você os sustenta? Você trabalha? Você não vai ter mais filho, né? Você não consegue dar atenção a todos. Não tem como. Três não eram suficientes? Blá-blá-blá-blá-blá. Ninguém respeita. Ninguém consegue a proeza de dizer: "Que bom, dá pra ver que é uma família feliz."

Parar de julgar. Parar de julgar. Parar de julgar. O feminismo é a busca incessante pela liberdade da mulher e pelo seu direito de escolha em todas as esferas da vida. Não adianta nos dizermos feministas e continuarmos apontando o dedo para cada mulher que fez escolhas diferentes das nossas.

Até porque, a cada vez que colocamos mulheres nessas posições (muitos filhos, poucos filhos, egoísta, inconsequente, mãe ausente, mãe superprotetora e por aí afora), estamos reforçando o que Brené Brown chama de "teia da vergonha" e que dificulta muito – muito mesmo – a nossa vida. Brené, que é pesquisadora da Universidade de Houston, identificou que a maternidade é um dos principais "gatilhos da vergonha" para as mulheres, sem que seja preciso ser mãe para ser vítima dele.[24]

Isso porque a sociedade vê entre "mulher" e "maternidade" um vínculo indissolúvel, ou seja, o valor de uma mulher está sempre atrelado ao lugar que ela ocupa enquanto mãe ou mãe em potencial. Ela será julgada enquanto mãe, assim como será julgada por não o ser. Brené diz: "A vergonha da maternidade é onipresente – é como um direito de nascença para as mulheres."

Se não formos nós, mulheres, a começar a quebrar esse ciclo de exigências tão cruéis em torno de todas nós, não sei quem será. Vamos fazer esse exercício. Vamos ouvir, aceitar, acolher e tentar entender. Mesmo (talvez principalmente) quando isso for bem difícil para nós.

Estar exausta não significa deixar de amar

E outra coisa que não tem problema nenhum: estar exausta dessas adoráveis criancinhas que chamamos de filhos. Tudo bem estar exausta de ser mãe e tudo bem ficar cansada deles, apesar de todo o amor que está presente na relação. A gente também se cansa de gente amada.

Quando minhas maravilhosas sobrinhas Luísa e Filipa tinham, respectivamente, 3 anos e 5 meses, certo dia minha irmã me olhou com um ar que oscilava entre um *white walker* e um *walking dead* e disse: "Tem dias que são completamente impossíveis, que eu estou esgotada e não sei nem como vou chegar até de noite... Mas aí olho para elas e de repente tudo faz tanto sentido."

É mais ou menos isso – sempre. Não tem como não ficar cansada. Até mesmo na minha posição de madrasta, que é só 50% do tempo e sem ter toda a responsabilidade prática que uma mãe tem. Tem dias em que eu também me pergunto, às dez da manhã, como vai ser para sobreviver até as dez da noite.

Um típico sábado: você não acorda na hora em que o seu corpo acorda. Você acorda na hora em que a outra pessoinha acorda. Às vezes, nem xixi faz. Nem lava o rosto e nem se olha no espelho. Vai no piloto automático, preparando o leite, dizendo para a pessoinha colocar as pantufas, perguntando o que a pessoinha quer comer. Às vezes se passa mais de uma hora até você perceber que não foi ao banheiro ainda.

Depois são as pequenas batalhas cotidianas e exaustivas dos atos-corriqueiros-que-deveriam-ser-muito-simples-porém-acabam-por-não-ser-nada-simples:

Come a maçã. Você gosta de maçã. É só meia maçã. Eu descasquei a maçã. Se não comer a maçã você não pode comer as bolachas. Não, hoje não tem manga. Só maçã. Come a maçã. Não cria problema numa simples maçã. Você sempre gostou de maçã. Come a maçã.

Vamos pro banho. Sim, você precisa tomar banho. Sim, eu sei que você tomou banho ontem. Mas hoje já é hoje. Outro dia, outro banho. Não, não pode ser depois de mais um episódio. É agora o banho. Vamos. Banho. Vamos. Banho. Agora. Sim, tem que lavar o cabelo. Sim, com xampu e tudo. Sério. Banho. Vamos. Por favor. Banho. Eu não quero ter que falar de novo.

Hoje está frio. Precisa ser calça. Não, não dá pra ser essa bermuda. Calça. Pode ser a azul, a cinza, a laranja ou a jeans. Não, não pode ser bermuda com meia esticada até o meio da canela. Calça. Escolhe qualquer calça. Não, não pode ser calça com chinelo. Tá chovendo. Calça com tênis. Ou qualquer sapato fechado. Não sou eu que não deixo. É São Pedro. Está chovendo e fazendo 14 graus. Calça. Calça e sapato fechado. Não, não pode ser galocha e bermuda. Calça. Vamos lá. Calça.

Escovou os dentes? Fala a verdade. Vou precisar cheirar a sua boca? Vai escovar os dentes, por favor. Prestando atenção. Todos os dentes. Até os do fundo. Dente por dente. Senão já viu. A doutora Silvia avisou, se não escovar bem os dentes, fica com cárie, lembra? A gente não quer que você tenha cárie. Vai. Vai escovar os dentes que a gente tem que sair. Vai. Rapidinho.

Pegou o casaco? Sim, precisa de casaco. Tá, você está com calor aqui dentro, mas lá fora tá frio. Pega o casaco. O azul. No seu armário. Pendurado. O azul. Não tá aí? Tá, sim. Olha ele aqui. Exatamente onde eu falei. Vamos. Veste o casaco. Lá fora está frio. Coloca. O. Casaco. Sério.

Não tem como não ficar cansada, né? É mais do que natural. Aliás, tudo é natural nessa história. Os questionamentos das crianças, as tentativas de negociar, nossa impaciência, nosso cansaço. Aceitemos sem nos punir por isso.

Conversando com algumas amigas mães (e lembremos, sim, mães privilegiadas que têm a sorte de estar exaustas por problemas que não são graves), uma palavra que ouvi de forma muito recorrente foi "privação". A sensação de sentir-se privada das coisas mais banais da vida é algo que acompanha diariamente quem tem crianças em casa.

Há dias em que é difícil fazer o básico do básico: dormir, comer, tomar banho. Coisas como passar fio dental, secar o cabelo com o secador e passar corretivo nas olheiras tornam-se verdadeiros luxos. Em certas fases da vida, ler um livro, sair com as amigas, ir ao cinema parecem coisas tão prováveis quanto uma viagem para o Quirguistão. É preciso cuidado para não voltarmos para aquele tal fim da fila. Para conseguirmos cuidar dos outros, é preciso cuidar de nós mesmas. E não estamos falando só de corpo, estamos falando principalmente de cabeça. Precisamos de apoio, de afeto e de descanso. Sempre. E nos privarmos disso é privar nossos filhos do melhor que há em nós.

Trabalho, filhos e culpa

Falamos sobre culpa no começo do livro, mas quando falamos em maternidade não tem como não retomar essa conversa. Como diria a sabedoria popular, "nasceu mãe, nasceu culpa". Sim, é verdade. Sendo madrasta eu já sinto isso cotidianamente. Mas será mesmo que precisamos lidar com essa angústia de forma tão natural? Será que não podemos nos libertar um pouco desse sentimento?

Em 2018 fui ao Brasil no mês de março e fiquei mais de 15 dias em São Paulo em torno de lançamentos de livro, reuniões do escritório, palestras, pesquisas do meu doutorado e tantas outras questões profissionais. Voltei a Lisboa no início de abril e, alguns dias depois do meu retorno, fiquei sabendo que precisaria ir outra vez a São Paulo no fim de abril. Ou seja, três semanas depois eu embarcaria outra vez.

Contei ao meu marido, que sente minha falta (graças a Deus), mas que, como homem adulto e seguro, entende e incentiva minha ida. Porém eu já sabia que a minha enteada, do alto dos seus 9 anos, não receberia a notícia com a mesma compreensão, o que é mais do que natural. As crianças quase sempre acham que não ir é uma opção simples e viável. Quem nos dera.

A culpa que senti pela minha ausência – mesmo que curta e necessária – veio a galope antes mesmo que eu contasse a ela sobre a viagem. Me lembrei automaticamente de um filme com a Sarah Jessica Parker chamado *Não sei como ela consegue*, baseado no livro homônimo escrito por Allison Pearson, que narra a história de Kate, uma mulher que, como tantas outras, tenta equilibrar seu amor pela família e pelo trabalho como uma malabarista. As viagens constantes, a frustração do marido e dos filhos com a sua ausência, a imposição de produtividade pelo chefe, o colega homem que tenta tirar proveito das suas vulnerabilidades como mãe para superá-la na carreira. Enfim. Coisas que muitas de nós já vivemos.

Normalmente o sentimento de culpa que temos está muito mais em nós mesmas do que atrelado à reação das outras pessoas. Chimamanda Ngozi Adichie, em *Para educar crianças feministas* (livro super, superimportante, mesmo para quem não tem filhos, porque ajuda no nosso comportamento como mulheres de um modo geral), nos conta uma série de sugestões que fez a uma amiga que se tornou mãe e que, anos depois, tentou implementar em sua própria maternidade. A primeira sugestão tem tudo a ver com essa conversa:

Seja uma pessoa completa. A maternidade é uma dádiva maravilhosa, mas não seja definida apenas pela maternidade. Seja uma pessoa completa. Marlene Sanders, a pioneira jornalista americana, a primeira a ser correspondente na Guerra do Vietnã (e ela mesma mãe de um menino), uma vez deu este conselho a uma jovem jornalista:* "Nunca se desculpe por trabalhar. Você gosta

---

* Apenas um parêntese: vocês repararam como isso é bonito? Sanders, uma estadunidense que nasceu na década de 1930, deu esse conselho à jovem jornalista há muitos anos. Tal conselho, de alguma forma, chegou até a nigeriana Chimamanda, que por sua vez deu esse conselho à amiga que se tornou mãe e depois optou por colocá-lo em seu livro para chegar a mais mulheres, e ele chegou até mim, uma brasileira que, neste momento, escreve em Portugal. Depois de ler, achei que ele era valioso e deveria ser lido por mais mulheres, por isso coloquei-o aqui. E provavelmente vocês transmitirão isso a irmãs, amigas ou filhas ao redor do mundo. Não é bonito ver como mulheres efetivamente cuidam de mulheres de uma forma cada vez mais universal?

do que faz, e gostar do que faz é um grande presente que você dá à sua filha."

Acho isso sábio e comovente. Nem precisa gostar do seu trabalho. Você pode apenas gostar do que seu emprego faz por você – a confiança e o sentimento de realização que acompanham o ato de fazer e de receber por isso.[25]

É interessante pensar nisso. Focamos tanto na problemática da nossa ausência que nos esquecemos de dar valor às alegrias contidas na nossa ida. Nem sempre trabalhar é uma delícia, mas é mais importante transmitir às crianças o bem que o trabalho nos faz do que transmitir quão angustiadas ficamos por ter que equilibrar as coisas. Se queremos criar filhos que sejam felizes e realizados profissionalmente, não faz sentido vilificar nosso trabalho como forma de comprovar o nosso amor. Muito pelo contrário.

É importante relativizarmos nossas culpas de um modo geral no que tange à maternidade. Sim, falharemos. Sim, estaremos ausentes às vezes. Sim, erraremos e não vai ser pouco. Tentemos reduzir a cobrança que temos conosco, como forma de melhorar a qualidade das nossas relações.

Todas nós fomos ensinadas desde pequenas a buscar a perfeição (Brené Brown também fala muito sobre isso quando menciona a "teia da vergonha") e nos tornamos escravas disso ao longo da vida. Na maternidade essa busca se torna ainda mais intensa, gerando uma frustração sem tamanho.

Rita Lisauskas afirma no seu delicioso *Mãe sem manual*:

Quando as crianças reais chegam à nossa vida real vemos que existem aquelas convicções inegociáveis, *não, meu filho não vai comer doce nem beber refrigerante porque não vai, pronto e acabou*, e outras promessas e resoluções que a gente tomou cedo demais mas não tem saúde, tempo ou disposição para manter, vida que segue, sabe como é, eu erro, tu erras, nós erramos.[26]

Precisamos ser menos exigentes com nós mesmas. Além de baixar as expectativas em relação à nossa performance, vamos aumentar o grau de tolerância com nossos supostos deslizes. Reduzir a culpa e o nível de exigência. Essa é uma questão de saúde mental e uma grande melhoria na qualidade das nossas relações. Porque se nós não formos as primeiras a parar de nos julgar, quem vai ser?

Chega de julgar as mães

Nós já falamos bastante sobre parar de julgar outras mulheres. Mas faço questão de reforçar esse tema quando falamos em maternidade. Gente, vamos parar de julgar as mães. Isso é das coisas mais importantes para preservarmos a liberdade das mulheres como um todo.

Assim como é fundamental respeitar quem não quer ter filhos, também é essencial respeitar as escolhas de quem quis tê-los. Isso inclui aceitar que certas mulheres vão querer engravidar, outras vão querer adotar e outras vão querer uma barriga de aluguel. Certas mulheres vão querer um parto humanizado; outras, parto normal com anestesia; outras, cesárea. Algumas vão amamentar; outras não – por não poder ou não querer. Algumas vão colocar o bebê na creche com 4 meses; outras, com 3 anos. Algumas vão tratá-los com homeopatia; outras, com alopatia. Algumas farão festas de aniversário simples; outras contratarão bufês infantis megalomaníacos com bolos de seis andares. Algumas vão se dedicar 100% a eles; outras colocarão a carreira em primeiro lugar.

E. Não. Há. Nada. De. Errado. Com. Nenhuma. Dessas. Decisões.

Você tem todo o direito de criar seus filhos do jeito que achar melhor, com suas escolhas e prioridades. Mas não tem o direito de achar que a sua maternidade é a certa e as outras são erradas. Somos diferentes umas das outras, e essa é a nossa grande riqueza.

Vamos parar de julgar outras mães. Vamos oferecer ajuda antes de apontar o dedo. Vamos ouvir o que as outras têm a dizer. Vamos treinar a nossa capacidade de lidar com as diferenças e de aprender com elas. E vamos, acima de tudo, lembrar que quando julgamos as outras, estamos sabotando a nossa própria liberdade.

A casa, o caos e as tarefas domésticas

Saio de casa de manhã por uns minutos, para descansar, antes de retomar o trabalho frente ao computador. Está calor e o vento não consegue contrariar o efeito do céu aberto, sem nuvens.

Encontro uma mulher parada, com dois sacos de compras pousados no chão, cansada e arquejante. Ainda tem um terceiro volume, que mal contém um escorredor de louça, feito de plástico, com uma forma muito pouco prática para transportar debaixo do braço. Pergunto se precisa de ajuda. Diz que não, está só a descansar um pouco, antes de seguir caminho até casa, que é perto. Tantos pesos que carregou quando era mais nova, conta ela. Comida para os animais, baldes de água, um em cada braço ("não tínhamos água"). Agora já custa mais. Diz qualquer coisa sobre os filhos, que imagino já crescidos.

Olho-a com atenção. Parece mais velha do que eu, mas pode ser apenas o efeito de uma vida certamente bem mais difícil do que a minha.[27]

É verdadeiramente impossível falarmos em feminismo, cansaço, casamento ou filhos sem falar no trabalho doméstico e em toda a gestão de uma casa. E já que este é um livro sobre mulheres, lembremos, antes de tudo, que o Brasil é o país com o maior número de empregadas domésticas do mundo. E que isso tem que nos fazer pensar sobre uma série de coisas.

Na IX Semana de Ciências Sociais da USP, em 2013, a professora italiana Giulia Manera disse:

A mulher nunca foi emancipada. Ela foi requisitada pelo capital. As tarefas domésticas nunca foram exatamente redistribuídas entre o homem e a mulher. Elas foram simplesmente delegadas a uma outra mulher, mais negra e mais pobre, que, ao chegar em casa, também encontrará as tarefas domésticas à sua espera.

Essa fala é importante para pensarmos sobre uma série de coisas: sobre a condição de vida das mulheres trabalhadoras (especialmente no Brasil); sobre a forma como tratamos esse tipo de mão de obra e, sobretudo, como a imensa maioria dos homens não se considera nem mesmo parcialmente responsável por essas tarefas.[28]

As tarefas domésticas e todos os seus desdobramentos – econômicos, sociais e psicológicos – precisam ser pensados e repensados, sobretudo na estrutura em que existem no Brasil. Esse é um problema que, em maior ou menor medida, afeta todas as mulheres. A divisão sexual do trabalho é um assunto fundamental para todas nós.[29]

Tire o verbo "ajudar" do seu vocabulário

O erro começa com o uso do verbo. Quantas e quantas vezes já ouvimos mulheres dizerem "Ah, mas o meu marido ajuda muito com as coisas da casa"? Vamos lá. Onde é que está o erro dessa frase? No verbo "ajudar".

Me lembro bem quando estava na faculdade e, numa das maravilhosas aulas da professora Fabíola Marques, ela chamou nossa atenção para esse assunto. Quando dizemos que alguém nos *ajuda*, estamos tomando a tarefa como algo que, por natureza, é 100% nosso. Ou seja, nós somos as responsáveis, e os outros, se tiverem boa vontade, fazem algo para cooperar.

Mas a realidade não é essa. Numa época na qual homem e mulher trabalham fora de casa, as tarefas domésticas são incumbência de ambos. Ou seja, o marido não *ajuda*, mas sim *faz a sua parte*. E esse mesmo raciocínio deve servir para o cuidado com os filhos.

Não é ajudar, é fazer a parte deles. Se os filhos são de ambos e a casa é de ambos, o cuidado diário também deve ser de ambos.

Uma pesquisa do IBGE revelou, em 2018, que a dupla jornada (trabalho fora de casa, num emprego, e dentro de casa, com as tarefas domésticas), no Brasil, já é uma realidade de ambos os gêneros. Ainda assim há uma diferença muito significativa de percentual: as mulheres dedicam, em média, um tempo 73% maior a essas tarefas do que os homens.[30]

Ou seja, voltamos ao que acabamos de dizer: na esmagadora maioria dos lares, a participação dos homens nas atividades domésticas ainda é vista como uma espécie de favor, uma vez que a responsabilidade por elas recai diretamente sobre as mulheres.

O tempo que gastamos executando tarefas que deveriam estar mais bem distribuídas dentro da família é um tempo que estamos tirando de outras atividades importantes para nós. Tempo que poderia ser dedicado à nossa carreira, à nossa saúde física e mental, aos nossos prazeres, aos nossos amores. Continuar anuindo com essa sobrecarga é algo que nos custa efetivamente muito caro.

Todos nós sabemos que a diferença salarial entre homens e mulheres é uma realidade – vamos falar mais sobre isso adiante. Mas, além de ganharmos menos, sempre que permitimos que nossos maridos se dediquem menos às tarefas da casa, estamos agravando esse quadro. As horas a menos que dedicamos ao trabalho por estarmos ocupadas com a gestão da casa (e dos filhos) poderiam nos trazer novos negócios, promoções, aumentos e – o mais importante – realização profissional. Ou seja, além de nos desgastarmos mais, prejudicamos a nossa própria carreira.

Redistribuir as tarefas domésticas é algo urgente. As mulheres estão cada vez mais cansadas, e esse é um fator absolutamente decisivo. Mesmo nas casas em que se tem a preciosa ajuda de uma empregada doméstica, ainda é preciso fazer compras, organizar a rotina, supervisionar o trabalho, conversar sobre o planejamento. E isso é outra coisa que os homens frequentemente não enxergam.

A jornalista Gemma Hartley tem um livro excelente sobre esse assunto chamado *Fed Up,* no qual aborda nosso trabalho invisível, que ela denomina de "*emotional labor*". A autora fala sobre o peso que recai sobre as mulheres com a gestão da casa, dos filhos e de tantas outras questões. Não é só sobre algo a se fazer. É sobre pensar e organizar também. Isso tem um peso que muitos nem imaginam. Curiosamente, descobri há pouco tempo que o livro é o desdobramento de um artigo dela na *Harper's Bazaar*, chamado "Women Aren't Nags – We're Just Fed Up", título muito parecido com meu "Mulheres não são chatas, mulheres estão exaustas". O dela foi publicado um pouco antes do meu, em 2017, e embora eu nem conhecesse o artigo e o conteúdo de um não tenha nada a ver com o outro, a semelhança no título demonstra quão universal e patente é essa questão.

A Victoria, que trabalha lá em casa, é uma portuguesa do norte do país, supercompetente, carinhosa e dedicada, que criou um hábito engraçado. Ela já era empregada do meu marido antes de nós nos casarmos e, pouco depois de passarmos a viver juntos, passou a me ligar toda quarta-feira, quando chega para trabalhar.

Lembro bem das primeiras vezes que ela me ligou, enquanto eu estava no escritório: "Olá, menina Ru, desculpe lá ligar para si, mas eu não quis incomodar o Filipe no trabalho, e queria saber se troco a roupa de cama/se é preciso fazer jantar/se querem que lave a roupa escura/se é para descongelar a sopa."

Um dia em que estávamos tomando café juntas lá em casa e tendo uma das nossas belas convérsas sobre casa, família e relacionamentos, eu disse em tom de brincadeira: "Vi, você já reparou como é curioso? Você me liga quando eu estou no trabalho, para não atrapalhar o Filipe no trabalho." Demos risada e ela ainda comentou "Pois é, menina Ru, às vezes nem percebemos como achamos que o trabalho dos homens é mais importante do que o nosso..."

Eu não tenho problema nenhum com as ligações da Vi, muito pelo contrário, acho ótimo conversarmos, decidirmos e me sinto muito privilegiada por ter essa ajuda em casa. Mas, como dissemos, mesmo quando temos ajuda, a responsabilidade (e a carga mental) costuma cair para o lado das mulheres – mesmo em casos em que há maridos excelentes com o cuidado da casa, como é o caso do meu. No fundo, quase sempre o resultado é este: duas mulheres conversando sobre os rumos da casa. Uma remunerada, outra não. E a que é remunerada certamente chega em casa no fim do dia e parte para o segundo turno de tarefas domésticas. Dessa vez, sem qualquer tipo de pagamento.

O seu jeito não é o único jeito possível

Se estamos tão cansadas e sobrecarregadas por conta das atividades que a casa demanda, vamos redistribuir as tarefas. Mas, para isso, precisamos fazer algo que é realmente muito difícil: flexibilizar os nossos padrões.

A escritora portuguesa Patrícia Motta Veiga observa muito bem essa nossa questão entre afazeres domésticos e necessidade de controle, afirmando: "Na verdade, os homens não partilham [as tarefas domésticas] porque somos nós, primeiro, a pensá-los inaptos e infantis."[31]

Há uns anos eu estava assistindo àquela versão inglesa da Super Nanny e me lembro de uma mãe que estava à beira de um colapso por causa da necessidade de cuidar dos quatro filhos e da casa. Foi então que Jo Frost reuniu a família na sala e disse que as coisas precisavam mudar. O marido começaria a fazer coisas na cozinha e a limpar os banheiros; o filho mais velho, já adolescente, lavaria louça e varreria a casa; os mais novos passariam a arrumar seus brinquedos e suas camas. Muito bem.

Passadas algumas semanas da instituição das novas regras, a Super Nanny foi ver os vídeos que mostravam a dinâmica da casa e percebeu algo curioso: depois que os filhos e o marido realizavam suas tarefas, a mãe ia lá e refazia tudo. Varria de novo o chão (porque de fato tinham ficado algumas coisinhas por varrer), reforçava a limpeza que o marido tinha feito no banheiro, arrumava os brinquedos de outras formas, e assim por diante.

Vamos lá, né, gente? Quem nunca? Quantas vezes já não demos

esses "sutis" retoques nas atividades feitas pelos outros na nossa casa? Não foram poucas. E, claro, tudo bem se estivermos falando de crianças de 5 anos tentando arrumar a cama. Precisamos ajudar, não tem jeito. Mas e quando estamos falando do filho de 16 anos e do marido de 47?

Uma coisa é a atividade ser efetivamente malfeita – louça lavada que continua suja, banheiro com partes por limpar, roupa retirada do varal ainda úmida... Nesses casos, precisamos mostrar para os outros (ainda que o outro seja, eventualmente, um homem adulto) que aquilo precisa melhorar (e lembremos que falar numa boa, sem briga ou excesso de crítica, costuma funcionar muito melhor do que os esporros). Outra coisa é querermos que as pessoas façam as tarefas e-xa-ta-men-te do jeito que nós faríamos. Daí eu dizer: precisamos flexibilizar os nossos padrões.

Talvez o chão não fique livre de uma ou outra sujeirinha. Talvez a cama das crianças não fique parecendo mostruário de loja de edredom. Talvez as roupas não fiquem tão bem dobradas ou tão bem organizadas quanto as da Marie Kondo. Mas é fundamental nos fazermos a pergunta: eu realmente preciso interferir nisso?

Assim como falamos sobre o exercício de entender que a maternidade de outras mulheres pode ser diferente da nossa, sem estar errada por isso, também é importante ter consciência de que a forma dos outros de executar as tarefas domésticas pode não ser aquela com que sonhamos, mas não deixam de ter seu valor por isso. Se estamos exaustas, talvez tenhamos que abrir mão do controle e dos padrões um pouco.

Tive essa conversa com a minha mãe, que além de superorganizada é virginiana com lua e ascendente em leão. Ou seja: controle, liderança, controle, liderança. Depois de um almoço na casa dos meus pais, ajeitei a louça e coloquei tudo na máquina. Como não consegui achar o sabão, disse à minha mãe que só faltava colocar o sabão e ligar. Saí da cozinha para fazer qualquer coisa e, uns 5 minutos depois, comecei a ouvir um barulho de louça. Voltei lá e vi a cena: minha mãe tinha tirado tudo de dentro da máquina para recolocar do jeito dela.

Eu não sou propriamente uma maluca que enfia as coisas de qualquer jeito na máquina de lavar louça, de forma que elas batam, lasquem ou quebrem. Pelo contrário. Nem sou das que enfiam louça com resto de comida lá dentro. Deus me livre, tenho horror disso. Ou seja, não havia nenhuma razão que justificasse o que a minha mãe estava fazendo.

Depois disso falei para ela que, enquanto ela não aceitar que existem outras formas de fazer as coisas, as tarefas sempre serão 100% dela. Repeti o mesmo discurso para a minha irmã, que criticou a forma como meu cunhado colocou a fralda na minha sobrinha, recolocando-a depois. Sim, eu entendo que as coisas sempre podem melhorar, mas se enxergarmos a nossa forma de fazer as tarefas como a única forma possível, nunca haverá partilha que baste. E o pior: quando refazemos as coisas, criamos nos outros uma enorme tentação de não fazer mais aquilo ("O que adianta eu fazer, se ela vai fazer tudo de novo?").

Não, não é fácil. Mas precisamos exercitar a nossa capacidade de delegar tarefas, de aceitar que talvez elas não fiquem da forma que adoraríamos que ficassem e, quem sabe, até de aprender outras maneiras de viver. Quem sabe uma cama com um lençol um pouco menos esticadinho não seja até mais gostosa?

Se a casa é de todos, as tarefas também são

Agora vamos entrar em outra questão difícil: o que estamos ensinando aos nossos filhos acerca das tarefas domésticas? E quando falo na primeira pessoa do plural, englobo os homens nessa conversa também.

Há alguns anos comprei o livro *A mágica da arrumação*, da japonesa Marie Kondo. Recentemente a Netflix lançou uma série protagonizada por ela sobre a mudança que podemos operar na nossa vida através de uma casa mais organizada.

Uma das coisas que mais me chamam atenção na série é quão

pouco as crianças são envolvidas na arrumação cotidiana. E Marie Kondo insiste muito na importância de criarmos esses hábitos e valores neles. Percebi que, na minha casa, a coisa também não era muito diferente.

Sobretudo quando temos a ajuda de uma empregada, tendemos a deixar as crianças cada vez mais distantes das noções de organização e de respeito com os espaços. E a verdade é que, dessa maneira, estamos criando monstrinhos da bagunça, do egoísmo e do comodismo. As crianças e os adolescentes precisam entender o tempo que se leva organizando e limpando uma casa. É indispensável que valorizem essas tarefas e que respeitem profundamente aqueles que os ajudam com elas.

Mas não tem jeito. A principal forma de fazermos com que eles mudem é dando o exemplo. Não adianta dizermos que eles precisam arrumar a cama se a nossa não estiver arrumada. Não adianta pedirmos a eles que não espalhem brinquedos pela casa se as nossas coisas estiverem espalhadas por todos os cantos. Sem modelos a seguir, eles provavelmente falharão. E Marie Kondo complementa: se eles perceberem que nós fazemos as tarefas da casa com prazer, logo verão nisso uma espécie de brincadeira e passarão a fazê-lo sem que precisemos pedir.

Outro assunto importante em relação às crianças é quanto cuidado temos que tomar para não estabelecermos diferenças entre meninos e meninas. Isso está profundamente enraizado em nós, por mais antimachistas que possamos ser. Há uma série de comportamentos quase inconscientes que podem ser verdadeiramente tóxicos para as crianças.

Volto para as histórias da casa dos meus pais. Fui criada num ambiente excelente, com muita liberdade e cabeças muito lúcidas. Mas não podemos negar que o inconsciente coletivo e a sociedade patriarcal habitam todos os lares. E, sim, quando a refeição acaba, frequentemente minha mãe se levanta para tirar a mesa e meu pai permanece sentado. Hábitos mais do que normais num casal que beira os 70 anos. Ele colabora muitas vezes, mas vê-se nitidamente a quem pertence a tarefa doméstica.

Eu e meus irmãos já crescemos de uma forma diferente. Todos – homens ou mulheres – levantamos para tirar a mesa, seja na casa dos meus pais ou nas nossas. Mas outro dia, enquanto almoçávamos lá, por alguma razão, meu irmão – que, assim como meu marido, é um homem que arca com todas as suas responsabilidades de dono de casa e de pai – permaneceu na mesa conversando com meu pai enquanto eu, minha mãe e minha cunhada levávamos as coisas para a cozinha. Foi quando percebi que minha sobrinha de 14 anos também estava tirando os pratos e colocando-os na pia.

Era uma cena tão evidente. As quatro mulheres na cozinha e os dois homens na sala. Encostei no ombro da minha sobrinha e disse "Gatinha, volte pra mesa". Não acho que eu tenha feito a coisa certa, porque o certo não era ela deixar de ajudar, mas sim ela ajudar *e eles também*. Só que eu não quis chegar na sala batendo palmas e mandando meu pai e meu irmão mais velho se levantarem. Não quis criar desconforto, causar problemas nem quebrar o clima gostoso do almoço. Porém não queria que a Rita ficasse ali, inserida nesse nosso sistema todo errado em pleno século XXI e muito menos que se habituasse a ele. Difícil, né?

Nana Queiroz e Helena Bertho, no livro *Você já é feminista!*, citam uma pesquisa que demonstra que a distribuição de tarefas domésticas entre crianças de 6 a 14 anos acontece da seguinte forma: 81,4% das meninas arrumam a cama, enquanto 11,6% dos meninos o fazem; 76,8% das meninas lavam a louça e só 12,5% dos meninos fazem o mesmo; 65,6% das meninas limpam a casa, ante 11,4% dos meninos.[32]

É, mais uma vez, o problema do exemplo. Meninos precisam ver seus pais e avôs executando tarefas domésticas, meninas precisam ver suas mães e avós partilhando as tarefas domésticas com eles. Caso contrário, amanhã serão elas as sobrecarregadas, as exaustas e as frustradas por terem que ser responsáveis por tudo.

Diálogo, diálogo, diálogo

Infelizmente há muitos, muitos homens que chegam à vida adulta sem qualquer noção das próprias responsabilidades domésticas. Na realidade, há milhões de homens que nem sequer têm consciência de que tais tarefas são incumbência deles. Isso acontece, como dissemos, por falta de educação nesse sentido, por falta de exemplo e pela força do inconsciente coletivo. E nós temos que fazer alguma coisa a respeito, sobretudo se vivemos com um exemplar desses dentro de casa.

Como eu já disse, brigas, broncas e gritarias afastam muito mais do que aproximam. Nada melhor do que uma conversa calma, franca e pensada para debater essas questões. Cartas, mensagens e bilhetes também são ótimas opções, uma vez que a pessoa é obrigada a "nos ouvir" até o fim e a pensar um pouco antes de rebater o que foi dito.

Precisamos às vezes demonstrar que estamos sobrecarregadas e explicar que a contribuição deles é fundamental. Sim, é bem ridículo ter que fazer isso em 2019. Mas não dizer nada é pior. E viver de patadas e sarcasmo também não é um caminho nada bom. Não tem jeito, o diálogo sempre é a melhor opção.

Muitíssimas das discussões de um casal se originam nos pequenos problemas da gestão da casa e da rotina dos filhos. E se a gente não tentar resolver os problemas pela raiz, de fato não haverá relação que aguente.

Separação e divórcio

CADA HISTÓRIA é uma história. Cada relação é uma relação. Voltemos sempre à nossa primeira premissa: não vamos julgar as pessoas. Isso é importante sempre. Nós não sabemos o que motiva cada casal a permanecer junto ou a se separar. E, cá entre nós, isso nem nos diz respeito.

Cabe a nós decidir os rumos das relações das quais somos protagonistas. E, sim, nessas situações precisamos de reflexões constantes, de conversas, de balanços e, acima de tudo, de alguma calma. Decidir as coisas de maneira impulsiva pode funcionar para escolher sabor de sorvete, mas não para decidir rumo de casamento.

A nossa proximidade com amigas, irmãs, filhas, primas e outras mulheres amadas nos faz, por vezes, questionar as decisões alheias. Eu mesma me flagrei fazendo isso recentemente. Uma amiga com filhos pequenos disse que ia se separar e minha primeira reação foi tentar relativizar a decisão. Algo do tipo: "Mas peraí, você já pensou nisso? E nisso? E nisso?" É claro que ela havia pensado. Em tudo e em mais um pouco. O meu papel era o de acolher e ouvir, não o de questionar.

Por outro lado, quantas e quantas vezes não achamos que nossas amigas e familiares "merecem alguém melhor" e assumimos, então, o papel de inquisidora da relação. "Mas tá vendo? Ele não fez isso, não fez aquilo, você faz tudo sozinha, pensa bem." Sim, é importante darmos apoio umas às outras e apontarmos situações às quais percebemos que elas não estão atentas. Mas não cabe a nós dizer se é melhor ficar junto ou separado. Pode ser a melhor amiga, a irmã, não interessa. Cada um sabe do seu relacionamento e dos seus rumos. E é fundamental partir desse pressuposto de liberdade para termos essa conversa.

Antes de qualquer coisa: está tudo bem

Sempre que converso com a minha irmã sobre os desafios do casamento, ela, em algum momento, me diz a frase: "O casamento é um milagre." Mas não na onda de quem diz "Ah, o casamento é uma bênção, uma coisa iluminada, um milagre!", e sim na onda de "Pelo. Amor. De. Deus. Só um milagre mesmo para nos ajudar a conseguir perseverar em meio a tantas dificuldades".

Entendo o que ela quer dizer. E acho que o milagre, no fundo, é a nossa paciência e a nossa compreensão. Há algum tempo escrevi um texto chamado "Parem de ser mimados e lutem pelos seus relacionamentos", do qual eu transcrevo um trecho:

Sim, os problemas aparecerão. As pessoas interessantes aparecerão. A tampa da privada estará levantada. Os sapatos estarão no meio do caminho. A moça do trabalho estará mais arrumada do que a sua mulher na hora que acordou. Mas você não viu a moça do trabalho acordando. E o cara do trabalho não estará de moletom cinza e meia velha no sofá. Porque ele não faz isso no trabalho, só na casa dele. Sabe? É muito fácil – e muito juvenil – cair nessas ciladas.

Uma coisa é constatar, depois de muitas tentativas, depois de diálogo e de uma busca, sedenta e sofrida, por soluções, que o casal não quer mais seguir o mesmo rumo. Que os planos já não harmonizam. Que a música que está tocando já não é a mesma para os dois. É triste, mas pode acontecer e temos a sorte do século XXI nos dar todo aparato para não sermos escravos de relacionamentos mortos.

Mas vejo que tem muito relacionamento indo para a forca quando poderia ter passado pela enfermaria, pelo pronto-socorro, pela internação, pela UTI. Acho mesmo que tem muita gente que acorda esquisito um belo dia e resolve jogar tudo pro alto – seus sonhos e os sonhos do outro.

Tem muita gente sendo egoísta, se comportando como crianças mimadas que se cansaram de um brinquedo mais antigo porque ele já tem alguma sujeirinha, perdeu alguma peça e porque tem um novinho lá na loja do shopping. Ou porque o brinquedo já precisa trocar a pilha, mas sabe como é, sair, comprar a pilha, abrir o pacote, substituir uma por uma... Dá trabalho demais. Esse brinquedo pode ficar no passado. O consumismo não ficou só nas prateleiras das lojas.[33]

Estamos vivendo num mundo no qual reinam o imediatismo e a incapacidade de perseverar. Não sabemos esperar, assim como estamos cada vez mais inaptos a lidar com o desconforto, seja ele qual for: contrariedades, testes à nossa paciência, desafios nos quais a resiliência se faz necessária.

Se vamos falar de separação e divórcio, temos que falar sobre essa triste realidade que se espalha ao nosso redor. Nesse mesmo texto, menciono uma frase que li em qualquer lugar: "Quando a lâmpada de casa queima, nós trocamos a lâmpada, não mudamos de casa." É interessante pensar nisso. Muita gente anda achando que casamento tem que dar certo sem esforço, sem dedicação ou sem ter que apertar uns parafusos de vez em sempre. Não, não é assim, né, gente?

Como boa advogada defensora das liberdades, sou a primeira a defender o direito ao divórcio direto* e sua capacidade de retirar as pessoas imediatamente de ambientes tóxicos. Mas faço questão de dizer: tem muita gente se comportando de forma inconsequente e impaciente e jogando amores no lixo. Se acabou o amor, o respeito, a confiança ou o sentido, sem problemas, vamos nos separar. Mas se é encrenquinha besta do dia a dia, pensemos melhor. Projetos a longo prazo sempre vão exigir uma dedicação que não é lá muito pequena.

---

* No Brasil, desde 2010, o direito ao divórcio foi facilitado, deixando de haver prazos de espera para que ele possa ser formalizado.

Se, depois de refletir com calma, a conclusão for que é melhor se separar (ou se a outra pessoa do casal tiver tomado essa decisão sozinha e você simplesmente tenha que se conformar), lembre-se sempre de uma frase:

TUDO BEM.

Só isso. Lembre-se de que divórcio e separação não são derrotas. Derrota é viver infeliz. Sempre vai haver quem diga que você não deveria ter feito isso ou que você deveria ter tentado incansavelmente convencer seu/sua ex do contrário. Pitacos há sempre de sobra. Deixe que digam (que pensem, que falem). O importante é você saber: está tudo bem.

Violência doméstica: quando não está tudo bem

Mary Del Priore afirma que "as pessoas se separam não porque o casamento não é importante, mas porque sua importância é tão grande que os cônjuges não aceitam a não correspondência das próprias expectativas".[34] No mesmo sentido, o livro *Relacionamentos*, da coleção The School of Life, pontua:

> O romantismo coloca uma profunda esperança no casamento. Ele nos diz que um casamento duradouro pode provocar o mesmo entusiasmo de um caso de amor. Espera-se que aquele sentimento de amor que costumamos conhecer no começo do relacionamento dure a vida inteira. O romantismo pegou o casamento (visto até então como uma união prática e emocionalmente comedida) e o fundiu com uma história apaixonada de amor para criar uma proposta singular: o casamento apaixonado e vitalício.[35]

Mary Del Priore também menciona um estudo do Instituto Brasileiro de Direito da Família que constatou que as principais razões que levam um casal ao divórcio são: traição, dinheiro, criação dos filhos, violência doméstica, falta de "evolução" do parceiro, dificuldades de relacionamento com a família do cônjuge e incompatibilidade de gênios.

Então vamos lá. O que dizer sobre uma mulher que perdoa uma traição? Nada. Essa é uma escolha dela. Eu perdoaria? Acredito que não. Mas devo condenar alguém que optou por esse caminho? Claro que não. O que dizer sobre uma mulher que decide se separar porque o marido ganha menos que ela? E sobre a que decide não trabalhar e depender financeiramente do marido? E da que resolve se separar porque não suporta a própria sogra? Nada. Mais uma vez: escolha dela. A gente tem que respeitar. Se for amiga, a gente conversa, ouve, pensa, sugere. Não mais do que isso.

Quando o assunto é violência doméstica a coisa muda de figura. Caso saibamos que uma mulher à nossa volta é vítima de violência doméstica, precisamos intervir de alguma forma. Intervir não quer dizer berrar que ela tem que sair de casa nem agendar uma ida ao advogado de divórcios sem sua anuência. Violência não se resolve com outras formas de violência, mesmo que sutis. Mas devemos tentar fazer com que ela enxergue o problema de forma clara.

O amor às vezes se transforma em cegueira. Achar que "tudo bem" um descontrole violento de um companheiro é uma delas. Achar que "foi só uma vez" é outra. Achar que "foram só duas vezes" é outra. Achar que "é só uma fase" também. O amor pode nos cegar para realidades que, vistas de fora, são extremamente claras. E, sim, nesse momento, nosso papel de amiga-filha-irmã-cunhada-prima-mãe-etc. não é aquele de só ouvir e respeitar. Nessas horas nos cabe, sim, um certo protagonismo.

Precisamos, sem ser agressivas, tentar fazer com que mulheres vítimas de violência identifiquem a violência, que pode ser física, sexual ou psicológica, e que, acima de tudo, sintam-se aptas a buscar ajuda especializada. Berrar que ela está fora de si e que precisa sair de casa imediatamente pode causar o efeito contrário, de fazer com que ela se feche ainda mais. Tenhamos calma para agir com ponderação.

Nana Soares, num texto de 2018 no seu blog sobre feminismo no *Estadão*, escreveu:

> Sim, é chato se meter no relacionamento dos outros, mas não quando isso pode salvar a vida de outra pessoa. É nosso dever interferir se identificamos violência e violação na casa ao lado, seja ela contra crianças, idosos, mulheres ou qualquer outra pessoa. Não apenas é o nosso dever, como é também o único jeito de avançarmos enquanto sociedade: cuidando uns dos outros. Meter a colher é um exercício de empatia, não de intromissão pura e descabida. É fazer o que você gostaria que fosse feito por você, é garantir que caso aconteça com você exista a possibilidade de alguém intervir ao seu favor. É comunicar que a vida de outra pessoa importa.
>
> Para meter a colher não é preciso enfrentar um agressor fisicamente, porque às vezes isso é impossível. Meter a colher é também chamar a polícia ou outra autoridade, testemunhar a favor das mulheres agredidas, corroborar suas histórias, mostrar que ela tem um ombro amigo.[36]

A linha é muito tênue entre participar da vida das mulheres que nos cercam e invadir sua privacidade. Todavia, quando a violência entra em campo, a coisa muda de figura e nós, como mulheres que cuidam de mulheres, devemos acolher e ajudar da melhor forma possível.

Abrace sua vulnerabilidade

Eu sou uma fã de terapia. Vou para a terapia mais feliz do que vou para o bar numa sexta-feira à noite. Amo desabafar, ouvir, rir e chorar, chegar a conclusões às quais nunca chegaria sem a ajuda da minha psicóloga. Sinto, efetivamente, que sempre saio daquele consultório uma pessoa bem melhor do que entrei.

Vivemos num mundo no qual o bacana é ser forte. Ser aquela pessoa megacompleta, que acorda supercedo, corre na rua, come bem, chega às oito no escritório, lidera projetos importantes, tem uma família linda, sabe se impor, é bem-sucedida, bem resolvida, escala todas as montanhas da vida com maestria. A vulnerabilidade, por sua vez, não vem sendo bem-vista, como bem nos lembra nossa querida Brené Brown.

Com os divórcios, não é diferente. Quando alguém se separa, as coisas que costumam ser ditas são:

Siga em frente!
Seja forte!
Levanta essa cabeça!
Ele não te merecia!
Vida que segue!
Entra numa academia!
Toca o bonde!
Arranja outro!
Não chore mais!
Keep walking!
Baixa o Tinder!

Pouquíssimas são as pessoas que dizem coisas como:

Chore tudo o que tem para chorar.
Não tenha pressa.
Dê tempo ao tempo.
Não exija muito de si mesma.
Viva essa dor com calma.
Não se culpe.
Acolha seu sofrimento.
Procure uma terapia.

Num mundo de gente teoricamente invencível, é difícil acreditar que temos o direito de sofrer, de chorar e de buscar ajuda. Mas tudo isso é essencial, gente. Sobretudo em cenários de separações e outros rompimentos, precisamos de suporte para aceitar as mudanças nos rumos da vida.

Eu nunca me separei. Espero nunca me separar. Mas já tomei um pé na bunda violento num relacionamento no qual estava havia sete anos (e que, na época, eu acreditava piamente que seria para a vida toda). Isso foi num sábado de 2013. Na terça eu já estava trabalhando normalmente, na sexta já saí à noite e quinze dias depois eu jurava que já estava com aquilo praticamente resolvido.

Uns meses mais tarde, resolvi procurar uma psicóloga por outras razões. E algumas semanas depois de começar a terapia, descobri que, por dentro, nadinha daquele rompimento estava solucionado. Meus sentimentos estavam uma confusão danada. Canalizei em outros homens a raiva que pertencia àquele ex, magoei pessoas que não mereciam, cultivei uma certa amargura no peito, deixei coisas por dizer, senti inseguranças que não entendia de onde vinham. Foram alguns anos até reorganizar as coisas.

O que quero dizer é que é absolutamente normal precisar de ajuda. Mas o mundo nos incentiva a soterrar tudo no peito e fingir que está tudo bem. Vamos esquecer, sair, beber, flertar, transar, construir relações confusas e achar que o mundo é uma droga. Não, né, gente? Se não cuidarmos de nós, fica difícil construir um futuro saudável – seja sozinha ou com outra pessoa.

Sei que terapia é um negócio caro. E tem razão para ser. Mas muitos planos de saúde cobrem essa despesa ou têm psicólogos conveniados. Há muita oferta de serviço bacana por valores sensatos. E, sabe? É um investimento que vale muito a pena. Bem mais do que as roupas, maquiagens e drinks que a gente compra achando que serão a solução. Pensem bem.

Casamento não é realização

Insisto que o mais importante é não atrelarmos a ideia de casamento à noção de felicidade ou de plenitude. Como já falamos, pode haver infelicidade profunda no casamento e felicidade genuína na separação.

Enquanto nos mantivermos escravas da ideia de que casamento é equivalente a sucesso e solteirice/separação/divórcio são equivalentes a fracasso, teremos todas uma vida muito difícil pela frente. As que não casaram, as que são casadas e que, naturalmente, têm dúvidas, e as que se separaram também.

Chimamanda bem disse, ao aconselhar sua amiga na criação de sua filha: "Nunca fale do casamento como uma realização. Encontre formas de deixar claro que o matrimônio não é uma realização nem algo a que ela deva aspirar. Um casamento pode ser feliz ou infeliz. Mas não é uma realização."[37]

A vida tem muitos caminhos. Todos podem ter coisas maravilhosas e coisas detestáveis. O essencial é mantermos o nosso astral bom e a nossa visão alegre, seja qual for a estrada. Nem sempre é fácil. Mas, sim, a felicidade está em nós, e não nos outros. Lembremos sempre disso.

Muitos trabalhos

"Na verdade, penso eu, ainda vai levar muito tempo até que uma mulher possa se sentar e escrever um livro sem encontrar com um fantasma que precise matar, uma rocha que precise enfrentar. E se é assim na literatura, a profissão mais livre de todas para as mulheres, que dirá nas novas profissões que agora vocês estão exercendo pela primeira vez?"

– VIRGINIA WOOLF (1931)
Profissões para mulheres e outros artigos feministas

Trabalhar para não ficar louca ou ficar louca por causa do trabalho?

E U AMO TRABALHAR. Mesmo. Tenho a sorte de (na maior parte do tempo) fazer coisas das quais gosto e de ter conseguido encaminhar minha vida para ser dona da minha própria rotina e dos meus horários. Esse é um luxo e tanto. Mas, em meio à ditadura do cansaço, frequentemente perdemos a noção de que gostamos do que fazemos. A exaustão que domina nossos corpos e nossas mentes nos torna incapazes de lembrar o porquê de termos escolhido aquele caminho.

Aquela passagem que mencionei na parte dos filhos, em que a Chimamanda, em seu livro sobre como educar crianças feministas, aconselha sua amiga a nunca se desculpar com os filhos por ter que trabalhar, foi algo muito marcante para mim. Mostrar – não só para as crianças, mas para aqueles que nos cercam e, sobretudo, para nós mesmas – que o trabalho é algo que nos faz bem (apesar dos pesares) é algo fundamental para a nossa felicidade.

Não estou dizendo com isso que, para ser feliz, é preciso ser uma mulher que trabalha fora de casa. Todas nós trabalhamos, e muito. Algumas em grandes empresas, outras no serviço público, outras em seus pequenos negócios, outras dentro de casa, outras no cuidado cotidiano com os filhos. Todos são trabalhos louváveis e intensos, dos quais devemos nos orgulhar profundamente.

A farsa do sucesso 360 graus

Existe, nos nossos tempos, uma nova forma de opressão que recai sobre as mulheres: a ditadura do sucesso profissional. Há séculos somos pressionadas pela ditadura do "sucesso familiar": é preciso se casar com um "bom marido"; é preciso ter filhos – educados, bonitos, bem-criados; é preciso que o casamento vigore; é preciso que os filhos se casem e tenham filhos – educados, bonitos, bem-criados; é preciso ser boa mãe, boa esposa, boa avó. Esse roteiro-cobrança nós já conhecemos de cor e salteado.

Mas, nas últimas décadas, um novo fardo foi despejado sobre as nossas costas. Não basta ter sucesso na empreitada emocional-familiar, também é preciso ter sucesso no trabalho. E quando falamos de sucesso, não estamos falando meramente de ter um trabalho, um ganha-pão. Estamos falando de status.

Hoje, a mulher bem-sucedida é aquela tal que acorda bem cedo, sorrindo e bem-disposta, sem olheiras, corre 5 quilômetros, toma banho ouvindo música, lava seus cabelos (que secam naturalmente e ficam lindos), veste sua roupa elegante em seu corpo magro, calça seus sapatos de salto, acorda as crianças com um beijo na testa ("bom dia, meus amores"), veste-as, penteia seus cabelos (porque também é feio delegar essas coisas para uma empregada), toma seu café da manhã balanceado, dá um beijo no seu marido fiel e bem-sucedido (com quem certamente transou na véspera, porque no século XXI também não podemos ter um casamento sem vida sexual de sucesso em meio ao caos), leva as crianças para a escola (com seus lanchinhos orgânicos e todas as lições de casa feitas corretamente com a ajuda dos pais), segue para o escritório (no qual ela é a *chief-executive-of-foreign-business-and-new-developments-mother-of-the-dragons-unburnt-breaker-of-chains* e lidera o trabalho de 45 pessoas), sem nunca perder o equilíbrio nem as estribeiras, ganhando um salário notável e sendo digna de um grande prestígio perante o grupo internacional, mas, como ela trabalha com eficiência e organização, sempre sai cedo o bastante para buscar as crianças, passar na casa dos pais para dar um beijinho, jantar em família e preparar uma caça ao tesouro, seus filhos adormecem serenamente às 21h, havendo tempo para uma taça de vinho e conversas gostosas com seu adorável marido, para assistir a uma série (para estar antenada com os interesses dos *trainees millennials* da empresa) e para ler 15 páginas de um romance de Tolstói antes de adormecer, com seus antirrugas todos bem espalhados pelo rosto, pescoço e colo.

Você conhece alguma mulher assim? Pois é, eu também não. Mas esse é o novo padrão ideal. Sucesso 360 graus. Família, saúde, trabalho. Menos do que isso, somos as primeiras a nos tachar de falhadas. Se temos a família; não temos o trabalho; se temos o trabalho, não temos a família; se temos o trabalho e a família, não temos a saúde. Não há vida normal que aguente todas essas exigências.

Uma amiga minha, que tem o tal sucesso familiar (marido advogado bonitão, filhinho delicioso de 1 ano, casa bonita), estava me falando de quão constrangida se sente quando sai com os colegas de profissão do marido e ouve as mulheres que trabalham com ele falando sobre suas inúmeras conquistas jurídico-profissionais e viagens internacionais, enquanto ela vive de trabalhos eventuais no ramo literário – os famosos *freelas*. Ou seja, na cabeça dela, não basta ter uma estrutura que a faça feliz e um trabalho que faça sentido para ela: sente-se diminuída por não se encaixar no "padrão século XXI" de sucesso profissional.

E então a questão fundamental se coloca: trabalhar para não ficar louca ou ficar louca por causa do trabalho?

A man's world

Não há um dia, um único dia, em que eu trabalhe sem ouvir a voz de James Brown ecoar na minha cabeça *"It's a man's world, it's a man's, man's, man's world"*. É verdadeiramente impossível não ficarmos exaustas por tantos obstáculos e tantas diferenças infernais que permeiam o nosso cotidiano. A expressão "matar um leão por dia" ganha uma conotação muito diferente quando se trata do dia de uma mulher. Não basta trabalhar. Não basta se esforçar. Não basta fazer tudo com excelência.

Lembro-me muito bem dos anos em que trabalhei como estagiária de um juiz no fórum do Jabaquara, em São Paulo. Cheguei lá supernovinha, com vontade de aprender tudo, de ser necessária e de mostrar serviço. Aprendi muito mesmo, graças ao Dr. Nelson, meu fantástico chefe; à Lúcia, escrevente de sala; à Idema, oficial de justiça; e à Isaura, diretora do cartório. Todos me pegaram pela mão e me ensinaram muito mais do que eu poderia imaginar aprender.

Dentre as minhas atribuições estava a de receber os advogados que chegavam ao longo do dia para conversar com o Dr. Nelson sobre algum processo urgente. Me explicaram na primeira semana e eu logo peguei o jeito. Eu me levantava, com minhas sapatilhas e uma roupinha social meio besta, ia até eles e dizia "Boa tarde, doutor/doutora, posso ajudá-lo?", me certificando de que o processo era mesmo da 1ª Vara Cível (havia confusões frequentes) e de que o processo tinha sido distribuído ao Juiz Titular, Dr. Nelson, não ao Juiz Auxiliar, Dr. Marco. Com essas simples perguntas já evitava dezenas de equívocos e perda de tempo de todos. Depois perguntava basicamente qual era a questão a ser tratada com o juiz. Então ia até o Dr. Nelson e fazia um resumo rápido: "Doutor, tem uma advogada que precisa falar com o senhor sobre uma liminar num caso urgente contra uma seguradora de saúde, posso mandar entrar?"

Era um trabalho útil que eu adorava fazer. Quando eu já fazia isso havia quase um ano, chegou um novo estagiário, o Caio, para trabalhar com o Juiz Auxiliar e pediram que ele ficasse trabalhando comigo uns dias para aprender as nossas principais funções. Fiquei toda contente, me julgando experiente e digna de dar praticamente um treinamento ao rapaz que começava. Quando um advogado chegou para falar com o juiz, eu disse: "Caio, levanta, vem comigo pra ver." Fomos os dois, eu com meu vestido roxo e o Caio com seu terno e gravata, até a porta e dissemos ambos "Boa tarde, doutor" e eu complementei "Em que podemos ajudá-lo?". O advogado virou um pouco o corpo na direção do Caio e começou a explicar a questão para ele, apenas. Estava quase de costas para mim.

Achei que poderia ser apenas um episódio malsucedido, mas, conforme os dias decorreram, a verdade foi ficando mais e mais evidente. Mais de 90% dos advogados e advogadas que chegavam para despachar e eram recebidos por mim e pelo Caio presumiam que ele era o mais experiente – ou simplesmente constatavam que ele era o homem presente e julgavam que estavam mais seguros falando com ele do que comigo. Mesmo que tivéssemos a mesma idade e eu fosse a mais experiente na função.

Me lembro bem do dia em que fui embora do fórum em direção ao metrô Santa Cruz tentando vencer um choro engasgado, de angústia e de raiva com aquela situação. E me lembro perfeitamente de repetir dentro da minha cabeça "Isso é porque eu sou nova, isso é porque eu sou nova, quando eu for mais velha isso vai mudar" enquanto descia as escadas em direção à plataforma.

Pouco mais de 10 anos depois, quando já era advogada e sócia do meu escritório, fui, com meu sócio, a uma reunião em um sindicato patronal. Na sala, havia uns seis ou sete homens e só eu de mulher. Nos apresentamos, ambos, como advogados e sócios do escritório. Debatemos o assunto e eu propus uma solução que todos julgaram pertinente. No final da reunião, nos levantamos, eu e meu sócio, e caminhamos em direção à saída, acompanhados pelo presidente do sindicato. Quando estávamos na porta, tive um *déjà vu*: o corpo do presidente começou a virar lentamente na direção do meu sócio, ficando levemente de costas para mim. Ele agradeceu muito a reunião e pediu que meu sócio lhe desse seu cartão. Porém seus cartões tinham acabado e ele começou a se desculpar perante o presidente do sindicato que, prontamente, fez questão de fazer uma delicadeza com ele, dizendo "Imagine, doutor, não tem problema, não se preocupe" enquanto virava o corpo de volta na minha direção, colocando sua mão no meu ombro e dizendo "Meu anjo, você me manda os contatos do doutor, então?".

Não sei explicar bem o que senti. Sei que foi pior do que o choro engasgado na direção do metrô Santa Cruz, tantos anos antes. Fiquei muda. Meu sócio interveio em meu nome, dizendo ao presidente do sindicato que, como advogada, eu tinha coisas muito mais importantes a fazer e que ele mesmo mandaria seu contato. O sentimento não passou. Anos depois, eu continuava sendo "só uma moça" que poderia ser dona de 50% das cotas da sociedade de advogados, poderia expor ideias pertinentes na reunião e poderia tocar o processo inteiro sozinha, mas seria "meu anjo", e não "doutora", e seria vista como aquela que deve "mandar o contato do DOUTOR" por e-mail para o presidente. *It's a man's, man's, man's world.*

Apesar desse misto de raiva, tristeza, fúria e indignação que me invade quando uma porcaria dessas acontece, me lembro muito de um trecho do livro *Os homens explicam tudo para mim* no qual Rebecca Solnit afirma (depois de um homem ter sugerido que, para se informar sobre um assunto, ela lesse determinado livro, sem saber que *ela mesma* era a autora do tal livro):

> Eu gosto de incidentes desse tipo, quando forças que normalmente são sorrateiras e difíceis de identificar deslizam para fora da vegetação e ficam tão óbvias como, digamos, uma jiboia que acaba de engolir uma vaca, ou um cocô de elefante no meio do tapete.[38]

No fundo, por mais doloridos que sejam, eventos como esses fazem com que a gente perceba, de forma clara e escancarada, a dimensão do problema. Não é algo que esteja na nossa cabeça ou acontecendo em becos invisíveis em cidades distantes. Está acontecendo aqui, conosco, todo dia. E nós precisamos colocar esse cocô de elefante no tapete de todas as nossas casas, para lembrarmos todos os dias que temos que fazer algo a respeito de questões tão evidentes quanto urgentes.

Trabalhos iguais, salários diferentes

E se vamos falar em questões urgentes acerca do trabalho da mulher, comecemos por aquela nossa velha conhecida, que habita todos os nossos dias desde que começamos a trabalhar. A desigualdade salarial.

Por vezes tentamos fechar os olhos para esse problema, num esforço para não ficarmos loucas de raiva. Mas não dá para não falar seriamente sobre isso. Um estudo de 2019 da Organização Internacional do Trabalho reiterou o que já sabíamos: um dos principais elementos que fazem com que exista a desigualdade salarial é a má distribuição das tarefas domésticas, sobrecarregando as mulheres e impedindo o seu crescimento profissional. De acordo com o estudo, a previsão é que ainda sejam necessários mais *209 anos* para que a situação mude. Desesperador, não é mesmo?

Independentemente da questão da partilha das tarefas domésticas, mulheres ganham menos do que homens de qualquer maneira. Mesma formação, mesmo cargo, mesmas atribuições, salários diferentes.

A Catho fez um estudo recentemente com mais de 10 mil pessoas para chegar a conclusões numéricas sobre a desigualdade salarial no Brasil.[39] Um dado muito curioso é o seguinte: quanto maior o índice de escolaridade, maior a diferença salarial entre os gêneros. Vamos aos dados, lembrando que estamos sempre falando de homens e mulheres na mesma função, com a mesma formação.

Fundamental incompleto: mulheres ganham 21,22% a menos do que os homens.

Fundamental completo: mulheres ganham 40,77% a menos do que os homens.

Ensino médio: mulheres ganham 41,39% a menos do que os homens.

Ensino superior: mulheres ganham 43,53% a menos do que os homens.

A pesquisa apresenta também o percentual de diferença por

área, para que não reste qualquer dúvida acerca do cenário no qual nós vivemos.

Na área da agricultura, pecuária e veterinária as mulheres ganham 1,14% a menos que os homens. Na área da educação, as mulheres ganham 9,01% a menos do que os homens. No ramo da informática, 12,77% a menos. No comércio exterior, mulheres têm um salário 18,43% menor do que o dos homens. Nas telecomunicações, o salário das mulheres é 23,67% menor. Na área comercial e de vendas, as mulheres ganham 25,77% a menos que os homens. Na engenharia, as mulheres ganham 25,52% a menos. Na área industrial, mulheres recebem 30,41% a menos do que seus colegas do sexo masculino. Nos campos da administração, a diferença é de 34,01%. Na área de comunicação e marketing, o salário das mulheres é 34,74% inferior ao dos homens. Na área financeira, as mulheres ganham 40,32% a menos. Nas artes, arquitetura e design, 40,73%. Na área da saúde, 43,35% a menos. Na hotelaria e no turismo, a diferença chega a 46,16%.

E aí eu pergunto: já que estamos falando em direito à igualdade salarial, qual é a área líder em desigualdade? Resposta: no ramo do direito, as mulheres ganham 52,73% a menos que os homens. Eu não sei o que dizer, apenas sentir.

Levem esses dados com vocês, por favor. Eu sei que é muito incômodo, mas infelizmente eu só fico feliz se você fechar este livro incomodada. Leve esses dados na memória, no coração, no sangue que ferve nas suas veias. Descubra, na empresa onde você trabalha, quanto ganha o seu colega homem, na mesma posição que você, com a mesma formação e o mesmo tempo de casa. Não se surpreenda se o resultado da sua pesquisa confirmar o que mencionamos acima. Respire fundo e vá lutar pelos seus direitos.

Mas a minha pergunta fundamental é: por que a gente aceita isso? Por quê? Um dos principais elementos é o que abordaremos no próximo capítulo: o fato de o mundo colocar nossa capacidade sempre em questão, até o momento em que nós mesmas começamos a ter dúvidas. Isso é muito sério. Mas também há o nosso medo de parecer o tal estereótipo da mulher doida, desequilibrada, que arranja briga e problema por tudo. Já se sentiu assim? Se você for uma mulher negra, então, a situação piora ainda mais por causa do famoso mito da *angry black woman* – um preconceito muito enraizado, sobretudo nos Estados Unidos. Segundo a psicóloga Ashley W., do National Institute of Health, trata-se de rotular qualquer mulher negra como agressiva, destemperada e arrogante pelo simples fato de reagir a uma injustiça ou a uma provocação.[40]

O fenômeno é corroborado por Michelle Obama em sua autobiografia: "Eu era mulher, negra, e forte, o que para certas pessoas, mantendo certa mentalidade, só poderia se traduzir como 'raivosa'. (...) É incrível como um estereótipo funciona como uma armadilha. Quantas 'mulheres negras raivosas' ficaram presas na lógica circular dessa expressão? Se você não é ouvida, por que não elevar a voz? Ser desconsiderada por ser raivosa ou emotiva não provoca justamente raiva e emoção?"[41]

De toda forma, temos que olhar para os rótulos que recaem sobre nós, não só no cotidiano, mas especialmente no ambiente de trabalho, que fazem com que tenhamos que vencer dezenas e dezenas de barreiras para simplesmente fazer o que nos incumbe. Alguns comportamentos prejudiciais às mulheres no trabalho ganharam nomes, e é importante que saibamos identificá-los.

Manterrupting, mansplaining *e* bropriating

Há dezenas de momentos na minha vida em que sinto que tentar falar quando há um homem por perto é como tentar conversar ao celular enquanto estamos atravessando um túnel. A voz vai ficando cortada enquanto continuamos insistindo, apesar das adversidades. Inúmeras interrupções, mas seguimos tentando até a exaustão.

Um episódio memorável no Brasil foi a entrevista de Manuela d'Ávila no programa *Roda Viva*, durante a corrida eleitoral de 2018. Foram contabilizadas 62 interrupções às falas de Manuela pelos entrevistadores. Semanas antes, os entrevistados foram Guilherme Boulos, que foi interrompido 12 vezes, e Ciro Gomes, interrompido oito vezes.

Esse tipo de situação passou a ser chamado de *manterrupting* (de *man interrupting*, ou "homem interrompendo"). Recorrente no ambiente corporativo, sobretudo em reuniões, é uma prática que desencoraja as mulheres a falar, por já saberem, mesmo inconscientemente, que passarão por esse tipo de situação – que tira qualquer um do sério. Desistir de falar para não passar nervoso às vezes acaba sendo uma possibilidade tentadora.

Em seu livro *Clube da luta feminista*, Jessica Benett faz algumas sugestões sobre como podemos nos comportar em situações de *manterrupting* (além de nos lembrar que temos que nos policiar para também não interromper outras mulheres). Ela sugere formas de autodefesa, como não fazer pausas nas falas para não dar espaço para interrupções, chamar a atenção do *manterrupter* dizendo "EU AINDA NÃO TERMINEI", debruçar o corpo para a frente como forma de afirmar sua presença, entre outras. Mas também nos indica comportamentos em defesa de colegas interrompidas, como o simples ato de dizer aos demais presentes algo como "Vamos deixar a Fulana concluir a sua ideia".[42]

Lembro-me bem do dia em que estava na mesa do bar da faculdade na qual faço meu doutorado, conversando com alguns amigos meus e alguns amigos deles que eu não conhecia. Alguém me fez uma pergunta sobre um tópico da minha tese. Expliquei o que era e dei minha opinião a respeito, depois desses anos todos de pesquisa.

Foi quando um rapaz que estava na mesa veio com uma conversa que começou com "Mas, veja bem" e continuou com "Você precisa levar em conta que..."; "Pelo que sei, não é bem assim..." e por aí foi. Ouvi atentamente, me perguntando em que área ele fazia doutorado (ou mestrado, ou se era algum tipo qualquer de pesquisador), para entender de onde ele tinha tirado aquelas ideias que, para mim, não faziam muito sentido.

Ao final de sua vaga explanação, perguntei. E a resposta foi: "Ainda não estou no doutorado." E então perguntei: "Está no mestrado?" A resposta também foi negativa. Ele estava no terceiro ano da graduação. E estava ME explicando como EU deveria olhar para um tema da MINHA tese, para a qual eu estava pesquisando havia CINCO ANOS.

E é claro que eu estaria aberta a conversar sobre Direito do Trabalho com pessoas que não têm a mesma formação que eu. Mas ouvir um moleque de 20 anos falar verdadeiras groselhas sobre um tema complexo como é o da minha tese (o cabimento da inserção de cláusulas laborais nos acordos preferenciais de comércio), tão cheio de si e tão certo de que tinha algo a ME EXPLICAR sobre o MEU TEMA, não é algo minimamente aceitável.

Mansplaining é o nome disso (de *man explaining*, ou "homem explicando"). Também conhecido no Brasil como Macho Palestrinha. Um homem lhe explicando coisas. Normalmente coisas que você já sabe. Frequentemente coisas sobre as quais você sabe mais do que ele. Mas eles se sentem à vontade para "nos guiar" no conhecimento, enquanto inflam o próprio ego, certos de que estão nos ajudando muitíssimo.

Temos que nos posicionar. Dizer: "Você não precisa me explicar isso, eu sei do que você está falando." Afirmar, quando for o caso, que somos especialistas ou estudiosas do assunto. E que, quando há alguém qualificado (acadêmica ou socialmente) para falar, cabe aos outros ouvir, não acrescentar o inútil. Lugar de fala, como bem explica a Djamila, lembra?

Temos ainda um terceiro fenômeno que acontece há séculos, mas que agora tem nome, que é o ato de um homem se apropriar de uma ideia que uma mulher teve, utilizando-a como se fosse sua. Isso se chama *bropriating* (de *bro apropriating*, ou "mano se apropriando"). Basicamente roubar o crédito por boas ideias.

Uma amiga recentemente deu uma ideia para o chefe antes de entrarem numa reunião e, nem 20 minutos depois, ele apresentou a ideia genial para os demais presentes, "esquecendo-se" de mencionar quem lhe tinha sugerido aquilo pouco antes. Por sorte, trata-se de uma feminista ferrenha e muito informada, que não teve dúvida em pedir a palavra e dizer "Fulano, fico muito feliz que você tenha gostado tanto dessa ideia que te dei antes de entrarmos aqui". E o chefe, constrangido, tentou contornar a situação dizendo "Sim, eu ia complementar dizendo que você sugeriu isso". Não ia. E se ela não fizesse nada, seria mais uma a entrar para a gigantesca lista de mulheres que não recebem o reconhecimento merecido pelo que constroem.

Matar um leão por dia

Não, NÃO é fácil trabalhar num mundo no qual o poder – e, consequentemente, os cargos de liderança – ainda está extremamente concentrado nas mãos dos homens. É claro que há caras legais. Caras que repensam os próprios comportamentos e abraçam a causa da igualdade. Até por isso é tão importante incluir os homens nessas conversas. Há muitos homens que simplesmente nunca pararam para pensar com calma nas questões referentes a gênero (sim, por mais absurdo que isso seja), mas que, quando são apresentados a elas, realmente repensam suas atitudes. Mas ainda temos léguas e léguas para caminhar.

Todavia, quem de nós nunca ouviu uma mulher dizer "Ah, mas trabalhar com mulher é complicado, prefiro trabalhar com homem". Alerta: isso é uma cilada das boas. Na verdade, nem deveria dizer que é uma cilada porque o nome disso, efetivamente, é autossabotagem.

Sim, toda vez que você diz que trabalhar com mulher é difícil, na realidade, está dizendo "É difícil trabalhar comigo mesma". Porque você é mulher. E você está falando mal do jeito de trabalhar das mulheres. Entende? Isso não é legal para ninguém, inclusive você.

Já conversamos sobre essa coisa da competitividade e da animosidade entre mulheres estar tão entranhada em nós. O mundo enfia isso na nossa cabeça desde muito cedo. É terrível. E, especialmente no mercado de trabalho, é preciso desconstruir essa ideia. Se queremos trabalhar em ambientes mais justos e menos hostis com as mulheres, temos que começar pela mudança no nosso próprio comportamento.

Eu, a cada dia que passa, gosto mais e mais de trabalhar com mulheres. Sinto que meus e-mails são respondidos mais rápido por elas do que pelos homens (talvez porque elas me levem mais a sério do que a maioria deles), assim como acho que há um senso prático excelente e uma grande eficácia nas comunicações.

Enquanto estivermos mais preocupadas em criticar a roupa de uma, o relatório de outra e o tom de voz de uma terceira em vez de focar no que temos de bom e fortalecer umas às outras, a coisa realmente não vai melhorar pro nosso lado. Vamos mudar um pouco esse cenário?

Poder, substantivo masculino

Essas críticas direcionadas às mulheres no meio profissional ocorrem frequentemente por um comportamento terrível que muitas mulheres se permitem ter em pleno ambiente de trabalho: elas agem como se fossem mulheres. Dá para acreditar nisso? (Estou sendo irônica tá, gente? Pelo amor de Deus.)

Mas vamos falar sobre esse fenômeno. O ambiente profissional, historicamente, é um ambiente masculino. Em algumas profissões mais do que em outras, mas, de um modo geral, esses espaços sempre foram ocupados pelos homens. Agora as mulheres, progressivamente, estão entrando nesses meios.

Como eu mesma já falei no início do livro, mulheres são plurais. Uma muito diferente da outra, para nossa sorte. Não cabemos num único modelo, mas há, de fato, algumas características que costumam ser frequentes no sexo feminino, assim como outras no sexo masculino.

Sobre isso, a renomada escritora e mulher de negócios inglesa Mary Portas afirma no seu livro *Work Like a Woman*:

Se, em vez de reprimirmos os talentos, valores e conhecimentos das mulheres, colocarmos as qualidades essencialmente femininas como empatia, capacidade de colaboração e flexibilidade, força, coragem e resiliência no coração do sistema, criaremos uma mudança radical na forma de trabalharmos – e vivermos.

Isso não quer dizer que todas as mulheres e homens tenham necessariamente – ou não tenham – essas qualidades. Cada um de nós personifica um milhão de diferentes aspectos do complicado caleidoscópio que é a personalidade. No entanto, goste disso ou não, certas qualidades têm sido tradicionalmente consideradas "masculinas" ou "femininas" e esse é o meu ponto de partida.[43]

Que tal aceitarmos uma gama muito mais ampla de comportamentos nos ambientes profissionais em vez de continuarmos perpetuando um sistema no qual todos nós temos que repetir o modelo de comportamento dos homens heterossexuais? Porque tudo o que desvie do comportamento que, em tese, é o deles – maior sensibilidade, reações mais espontâneas, choros, desmunhecadas e tantas outras nuances que permeiam a personalidade de cada um de nós – ainda é tido como errado ou algo inadequado.

A professora Mary Beard, também inglesa, em seu fantástico livro *Mulheres e poder – Um manifesto*, coloca uma foto impressionante na qual Angela Merkel e Hillary Clinton cumprimentam-se, vestidas da mesma forma: ternos pretos, de cortes pouco acinturados, exatamente como aqueles usados por todos os homens que protagonizam a política mundial. A autora denomina a vestimenta de "uniforme de mulheres políticas" e afirma a esse respeito:

Em outras palavras, não temos modelos para a aparência de uma mulher poderosa, a não ser que ela se pareça bastante com um homem. Os terninhos regulamentares, ou pelo menos as calças compridas, usadas por tantas líderes políticas no Ocidente, de Angela Merkel a Hillary Clinton, podem ser convenientes e práticos; podem ser um sinal da recusa em se tornar uma escrava da moda, que é o destino de tantas esposas de políticos; mas são também uma simples tática – como engrossar o timbre da voz – para fazer com que a mulher pareça mais masculina e adequada ao papel do poder.[44]

Logo que comecei a estagiar, na época da faculdade, eu achava que deveria usar camisas sociais e calças pretas. Faculdade de Direito + estágio no fórum = camisas sociais e calças pretas, certo? Ocorre que eu me sinto péssima com camisas. Por causa daquela história que muitas mulheres conhecem: quanto está boa na cintura, está com os botões arrebentando no peito, quando está boa no peito, está larga na cintura. Passei anos buscando camisas, usando camisas das quais não gostava e me aborrecendo com aquilo. Por que mesmo? Por que eu achava que precisava usar camisas brancas ou azuis com calças sociais? Porque, mesmo que inconscientemente, eu achava que precisava me fantasiar de homem.

Não precisamos, gente. Podemos usar nossas roupas. Podemos demonstrar nossos sentimentos. Podemos esbravejar sem que achem que é desequilíbrio ou TPM. E se for TPM, tudo bem também. Podemos ter cólicas. Podemos sair mais cedo para amamentar. Nós podemos – e devemos – ser, também no ambiente profissional, as mulheres que somos nos nossos dias. Nós não temos que nos disfarçar de homens para sermos levada a sério. Combinado?

Síndrome do Impostor

Uma das melhores coisas de viver no século XXI é o acesso facilitado que temos a tantos conteúdos fantásticos. Sim, tem muita porcaria correndo por aí. Mas também tem muita coisa legal para fazer a gente rir, raciocinar e refletir sobre uma série de assuntos sobre os quais, frequentemente, nunca nem tínhamos parado para pensar.

Outro dia vi mais um dos maravilhosos vídeos da youtuber Jout Jout sobre a chamada "Síndrome do Impostor". O nome do vídeo, para quem quiser procurar, é "Para você que é uma fraude". Nele, Jout Jout fala sobre quantas e quantas vezes, ao longo da nossa carreira, temos a sensação de não merecermos as coisas que conquistamos profissionalmente. Ela começa dizendo:

> Sabe quando você conquista coisas incríveis na sua carreira e na sua vida em geral e aí você pensa: "Ah, muito legal e tudo mais, só que eu enganei todo mundo porque na verdade eu sou uma fraude e, na verdade, eu só conquistei tudo isso por sorte ou porque eu estava na hora certa, no lugar certo"?

Pois é. Eu assisti ao vídeo não faz muito tempo e, assim que terminei, a primeira coisa na qual pensei foi: *Cara, sou eu.* Frequentemente me sinto uma verdadeira farsa (se é que esta expressão faz algum sentido). Questiono todos os dias o merecimento que tenho em cada uma das minhas conquistas e, na maioria das vezes, concluo que sou apenas uma grande sortuda.

Cheguei ao escritório no dia seguinte e mostrei o tal vídeo para a Luiza, minha amiga que trabalhava comigo na época. Ela assistiu e falou na hora: "Meu Deus! Sou eu!" Era exatamente o mesmo sentimento que eu tinha, de estar ocupando uma posição que, de certa forma, sentíamos não merecer. Um misto de ser uma fraude e ser apenas o resultado de um alinhamento cósmico para o qual não contribuímos minimamente.

Cheguei em casa muito impressionada com tudo isso e resolvi mostrar esse mesmo vídeo para o meu marido. "Filipe, vê isso." No final, a surpresa. Ele meio que deu de ombros e confessou: "Sinceramente, não me identifico, não... Confesso que não sei bem o que é ter essa sensação, acho que mereço as coisas que conquistei nesses anos todos." Fiquei confusa com aquelas reações tão díspares.

Decidi então fazer outro teste. Dessa vez, com um amigo homem. Pedi que ele assistisse ao vídeo e me dissesse o que achava. Ele assistiu e respondeu na hora, como belo homem leonino que é: "Ahhhh, eu não sei o que é isso aí, não. Pelo contrário. Acho até que me reconhecem muito menos do que mereço." O fato estava se confirmando.

Olha, eu não estou querendo viciar a amostra ou influenciar ninguém, mas no meu placar ficou 2 a 2: dois homens não se identificaram e duas mulheres se identificaram. Fica a sugestão para você assistir e depois pensar no que sentiu. Mas me parece algo bastante sintomático.

Eu, Ruth, de fato questiono meu merecimento em absolutamente tudo o que faço. Agora mesmo, enquanto escrevo, me flagro com frequência me perguntando:

Por que alguém vai pagar para comprar meu livro?
Por que alguém iria querer saber das minhas ideias?
Que sentido faria isso?
Quem sou eu, para escrever livros?
De onde tirei essas ideias?
Por que esses malucos da editora me publicam?
Por que as doidas das pessoas compram minhas coisas?

E então tenho que respirar fundo e me lembrar: eu tenho quatro livros publicados, sou colunista de jornais e revistas, sou professora e palestrante, sou advogada, tenho três pós-graduações, escrevi minha dissertação de mestrado sobre questões jurídicas atreladas a temas de gênero, estou terminando meu doutorado na Europa... É, afinal as pessoas talvez não sejam tão doidas assim de querer ler o que eu escrevo. Talvez eu mereça estar nas livrarias – assim como tantas outras pessoas mereceriam, apesar de não estarem lá. E eu não tenho que me constranger por ter algum mérito ou achar que é sinônimo de falta de modéstia assumir que construí uma carreira legal.

A nossa tendência é quase sempre achar que não fizemos por merecer. Porque o mundo nos ensinou, desde pequenas, a sermos modestas, gratas, delicadas, pouco agressivas. E quando questionamos o nosso merecimento, assim como toda vez que nos flagramos vivendo essa tal Síndrome do Impostor, estamos, de certa forma, pensando: "Talvez eu até mereça ganhar um pouco menos, né? Talvez. Talvez seja justo eu ganhar 52,73% a menos que aquele cara ali."

O aterrorizante desafio de pedir aumento

Eu sou uma pessoa com uma profunda dificuldade para negociar salário. Na verdade, até poucos anos atrás eu nunca tinha feito isso. Foi meu marido – como bom homem de negócios, capricorniano, com um MBA *master-blaster-amazing* – que um belo dia virou-se para mim e disse: "Jura por Deus que você é a colunista mais lida desse jornal há mais de dois anos e nunca cogitou renegociar o pouco que eles te pagam?"

Minha primeira reação foi a tal retração que a Síndrome do Impostor nos obriga a ter. "Imagina. Ele está exagerando. De fato, o próprio jornal disse que eu sou a mais lida. E, de fato, eu realmente ganho muito, muito pouco. Mas o meio do jornalismo paga mal mesmo, não é? E eu sou nova... E eles provavelmente me pagam o que podem... E..."

Por sorte ele não me deu tempo para pensar muito mais e simplesmente me fez ver por a + b que aquele contrato não era justo. Se eu não fizesse isso por mim, ninguém faria. O papel da empresa é sempre tentar pagar o mínimo possível dentro da legalidade – essa é uma questão básica de administração. E o papel de quem trabalha – amparado pelo Direito do Trabalho, como não posso deixar de dizer – é defender seus próprios interesses. Só nós podemos exigir receber o que consideramos justo.

Aí começou a segunda parte do problema. Meus mil medos e minhas mil necessidades de modéstia. Mas e se acharem que a fama me subiu à cabeça? E se eu parecer arrogante? E se rirem da minha cara? E se simplesmente se negarem a dar o aumento? E se me mandarem embora? E se? E se?

Redigi o e-mail, explicando, com educação e firmeza, as minhas necessidades e pretensões. Suspirei e enviei. Devo dizer a vocês que a primeira resposta deles foi uma proposta absolutamente ridícula

– quase ofensiva – de aumento. E então eu fui desafiada a me posicionar: *Não aceito. E me sinto desrespeitada por essa proposta.* Cara, que difícil foi fazer isso.

Alguns dias depois me perguntaram se eu podia me reunir com o chefão dali a umas semanas. Disse que sim. No dia marcado, cheguei e me colocaram sentada no sofá preto da antessala. Meu coração estava disparado. Antes de ele entrar, eu só mentalizava o mantra "Eu sou a colunista mais lida desta porra, eu sou a colunista mais lida desta porra". Ele entrou, eu sorri, cumprimentei-o e decidi, naquele momento, que ia me comportar de acordo com o valor que tenho. O valor que qualquer uma de nós tem. Que não ia mais olhar para mim mesma como um cachorro vira-lata que deu a sorte de ser acolhido na empresa. Eu merecia aquilo. Eu sou boa no que faço. Porra. Eu sou boa no que faço e me pagam uma merreca! E os peixes grandes que trabalham aqui ganham um dinheirão! Porra!

Em 10 minutos eu tinha conquistado o meu aumento. E, dali para a frente, eu nunca mais deixei que me tratassem com menos consideração do que eu mereço – nem menos consideração do que aquela com a qual trato cada uma das pessoas que passam pelo meu caminho. Se não formos nós a defendermos os nossos interesses, lhe garanto, não serão os peixes grandes que o farão por nós.

Vários corpos

Mulheres lindas se perguntam qual é meu segredo.
Não sou bonita nem tenho corpo de modelo.
Mas quando começo a revelar,
Elas pensam que só posso estar mentindo.
Eu digo:
Está no alcance das minhas mãos,
Na largura dos meus quadris,
Na segurança do meu andar,
Na espessura dos meus lábios.
Sou uma mulher
Fenomenalmente.
Mulher fenomenal,
Esta sou eu.

– Maya Angelou
"Phenomenal Woman", in: *Four Poems Celebrating Women*

Padrões estéticos e mágoas

OUTRO DIA, NUMA roda de amigas, perguntei se alguma delas, em algum momento da vida, já havia se sentido confortável com o próprio corpo. Simples assim: confortável. Não perguntei se elas já haviam se achado deslumbrantes, maravilhosas ou estonteantes. Perguntei apenas se, em alguma fase da qual se lembrassem, essa relação entre mulher e corpo já tinha chegado a ser, apenas e tão somente, pacífica.

Éramos cinco. Duas, além de mim, disseram automaticamente que não, sem precisar pensar duas vezes. Outra fez um certo esforço, franzindo o cenho, tentando se lembrar de algo. Disse que sim, houve uma época, na qual tinha um personal trainer e uma alimentação extremamente regrada, em que chegou a ficar satisfeita com o próprio corpo ao longo de uns meses. Mas que isso ficou no passado, porque hoje já acha que está tudo uma desgraça de novo. A quinta amiga é lésbica e nunca se sentiu bem com seu corpo de mulher, sempre usando roupas mais masculinas. Ela chegou a rir, olhando para suas roupas largas, e disse: "Acho que eu nem preciso responder, né?"

O fato é que é mesmo difícil embarcar nesse desafio da autoaceitação. Na teoria é lindo, mas na realidade é supercomplicado. Olhar-se no espelho sem roupa é, para a imensa maioria das mulheres, uma coisa realmente desconfortável – e até mesmo dolorida –, quando deveria ser a coisa mais natural da vida. Para muita gente, conviver com o próprio corpo é efetivamente um pesadelo.

Mas se, por um lado, começou a se espalhar lentamente pelo

mundo um movimento que diz para nos aceitarmos como somos e para valorizarmos as nossas diferenças, por outro, continuamos sendo bombardeadas O TEMPO INTEIRO, SEM INTERVALO OU TRÉGUA, com imagens utópicas de mulheres perfeitas espalhadas por todo lado. Será por acaso?

O que me parece mais curioso nisso é que surgiu um discurso, buscando aliviar a nossa barra, dizendo que as mulheres dos outdoors, das revistas e de tantas propagandas por aí só são deslumbrantes assim por causa do Photoshop e de tantos outros mecanismos artificiais. Ok, é de fato interessante ter essa informação, mas peraí, peraí e peraí.

Peraí número 1: e se não for Photoshop? E se ela for assim mesmo, ao vivo e em cores? Bunda redondinha, seios firmes, abdômen definido, bronzeado deslumbrante, celulites e estrias inexistentes, cabelos sedosos, lábios carnudos, rosto corado, unhas fortes, dentes brilhantes. Isso faz com que eu deva – aí, sim – me sentir mal?

Porque, veja bem, queridinha, se ela pode, você também pode. Basta ter força e foco!

Não, né, gente? Não é assim. Em primeiro lugar porque essa mulher é uma modelo ou uma atriz/cantora/*influencer*/ou qualquer outra mulher cuja vida está muito voltada para a construção da própria imagem. Ela vive para isso. O dia a dia dela é todo focado – em número de horas e em número de reais gastos por hora – no cuidado com o próprio corpo, o rosto e o cabelo. E tudo bem, não tem nada de errado nisso. É uma escolha como qualquer outra.

Mas a nossa vida não é bem assim. Não dispomos do mesmo tempo nem do mesmo dinheiro para investir nisso. Lembremos dessa diferença a cada vez que olharmos para elas. Então, em tese, se for para a gente se comparar com outra mulher, que seja uma cuja vida é como a nossa, não com uma profissional da área da beleza, certo?

Errado. Errado por causa do peraí número 2.

Peraí número 2: nós precisamos mesmo nos comparar o tempo

inteiro com outras mulheres, modelos ou não? Por que insistimos na ideia de que temos que ter constantemente um paradigma? Quantas vezes nos flagramos pensando coisas como: "Mas olha, a Ana tem a minha idade e ainda não está com essas pregas no canto do olho. E olha, a Carol já teve filho e tem uma barriga bem melhor do que a minha, que nunca engravidei. Imagina quando eu tiver filho, a desgraça que vai ser, meu pai do céu. E a Fê, que sai de cabelo molhado para ir trabalhar? Se eu sair com o meu molhado, quando secar ninguém nem me reconhece."

Por que nós começamos a aceitar que temos que ser *tão não sei o que quanto a fulana, tão não sei o que lá quanto a beltrana*? Quando foi que definimos que não basta sermos nós mesmas? Do nosso jeito, com qualidades e defeitos? O lance é: temos apenas que ser a melhor versão de nós mesmas. Certo?

Errado. Errado por causa do peraí número 3.

Peraí número 3: nós precisamos mesmo "ser a melhor versão de nós mesmas"? Será que nós precisamos estar sempre no nosso melhor? Ou será que temos o direito de simplesmente ser o que somos, de estar do jeito que estamos, de ir vivendo da forma que dá?

Precisamos nos lembrar TODO SANTO DIA que ninguém tem obrigação de ser bonito. Chocante, né? Vamos conversar mais sobre isso daqui a pouco. Os padrões estéticos – de peso, cabelo, roupa, sapato, maquiagem – nos foram enfiados goela abaixo de forma tão violenta e tão profunda que frequentemente nem cogitamos ter o direito de simplesmente ser as pessoas que nascemos sendo – no meu caso, a Ruth com suas olheiras sem corretivo, com suas várias dobrinhas na barriga, com suas unhas dos pés manchadas de branco, com sua gengiva que aparece um pouco em momentos de sorrisos largos, com suas estrias na parte interna das coxas, com umas veias vermelhinhas evidentes na entrada no nariz desde criança e seu cabelo fino com uma onda bem esquisitona no meio da cabeça.

Em seu livro *Por todas nós*, Ellora Haonne escreve: "Vivia fazendo planos para 'quando eu tivesse o tal corpo', como se a minha vida só fosse começar depois de ver o número 'certo' de quilos na balança."[45] Quem de nós nunca fez isso? Quem nunca sonhou com esse futuro mentirosamente feliz, esquecendo que a vida só existe no presente?

A gente não tem que parecer com a mulher do outdoor. Nem com a youtuber. Nem com a nossa amiga magra. Nem com a nossa amiga não tão magra porém sempre bela. Nem com aquela nossa foto do verão de 2008. Nem com a nossa *fucking* melhor versão do futuro que a gente insiste em estabelecer como meta inatingível. A gente só tem que ser o que a nossa vida permite e o que a nossa alma pede. Essas devem ser as únicas metas. Ter uma vida legal e sem paranoia, lembrando que somos humanas, que trabalhamos várias horas por dia – dentro e/ou fora de casa –, que temos uma conta bancária com limitações e que valemos – MUITO – pelo que somos por dentro, pelas nossas ideias, pelas risadas que damos e pelo afeto que damos e recebemos ao longo do caminho.

O embuste da meritocracia na beleza

"Meritocracia" é uma palavra que, por si só, já me dá arrepios. No Brasil, ela vem sendo muito usada quando o assunto é educação e emprego. Defende-se a sinistra (e injusta) ideia de que só ficam sem estudo e sem bom emprego aqueles que não se esforçaram o bastante. Ah, tá.

Então uma mulher da minha idade que tenha nascido numa favela, passado fome, convivido com inúmeras violências, frequentado uma escola na qual o ensino não era bom e que tenha começado a trabalhar aos 13 anos tem exatamente as mesmas probabilidades de sucesso do que eu, que nasci numa família privilegiada, que comia do bom e do melhor, frequentava as melhores escolas, sempre segura e protegida, sem qualquer necessidade de colocar dinheiro em casa?

Parece conversa de maluco. Se hoje eu sou advogada e escritora, vivendo uma vida confortável, e aquela moça não terminou o ensino fundamental e ganha um salário mínimo, há algum sentido em falar em meritocracia? Ou será que deveríamos falar em justiça social? Enfim, há gente que ainda diz que só não estuda e não faz uma boa carreira "quem não quer, quem não se esforça". Vai entender. Não entendo se é estupidez ou má-fé.

Ocorre que essa história de meritocracia não fica só por aí. Surgiu uma certa ideia – mesmo que de forma velada – de que também há meritocracia nas questões referentes à beleza. Coisas como "só é gorda quem não faz dieta", "só é feia quem não se dedica", "só envelhece quem não se cuida" e por aí vai. É uma dupla sacanagem: a ditadura da beleza e a ideia mentirosa de que só não é "linda" quem não quer.

O livro *O mito da beleza*, da estadunidense Naomi Wolf, é indispensável quando falamos desse assunto:

> O mito da beleza tem a seguinte história a contar. A qualidade chamada "beleza" existe de forma objetiva e universal. As mulheres devem querer encarná-la, e os homens devem querer possuir mulheres que a encarnem. Encarnar a beleza é uma obrigação para as mulheres, não para os homens, situação esta necessária e natural por ser biológica, sexual e evolutiva. Os homens fortes lutam pelas mulheres belas, e as mulheres belas têm maior sucesso na reprodução. A beleza da mulher corresponde à sua fertilidade; e, como esse sistema se baseia na seleção sexual, ele é inevitável e imutável.
>
> Nada disso é verdade. A "beleza" é um sistema monetário semelhante ao padrão-ouro. Como qualquer sistema, ele é determinado pela política e, na era moderna do mundo ocidental, consiste no último e melhor conjunto de crenças a manter intacto o domínio masculino. Ao atribuir valor às mulheres numa hierarquia vertical, de acordo com um padrão físico imposto culturalmente, ele expressa relações de poder segundo as quais as mulheres precisam competir de forma antinatural por recursos dos quais os homens se apropriaram.[46]

Há muita, muita coisa por trás das regras de beleza, com as quais convivemos diariamente até nos convencermos de que elas são parte de nós. Todo cuidado é pouco quando estamos falando dessa tal "beleza". Que beleza é essa? Por que eu deveria desejá-la? Quais são os sacrifícios (emocionais, físicos e financeiros) necessários para alcançá-la? Antes de desejar uma beleza que nos vendem a um preço tão alto, deveríamos aprender a enxergar aquela que já temos, mas que, via de regra, passa despercebida, desprezada e desperdiçada.

A ansiedade incessante acerca da própria imagem

Eu era muito nova quando me apaixonei pela obra de Vinicius de Moraes. Não devia ter mais do que 12 ou 13 anos. Sigo apaixonada até hoje, mas, graças a Deus e aos livros, os amores adultos têm um pouco mais de crítica. Uma das poesias de Vinicius de que eu mais gostava era a célebre "Receita de mulher", aquela que começa dizendo "As muito feias que me perdoem, mas beleza é fundamental". Não vou entrar aqui na conversa de definir se Vinicius era um belo de um machista ou se ele carregava um salvo-conduto por viver em outra época. Deixemos isso para quem entende mais do assunto do que eu.

O fato é que eu me lembro bem que, a cada vez que lia "Receita de mulher", olhava para as minhas coxas. Olhava para elas e me perguntava se elas tinham "um certo volume" e se eram "lisas, lisas como a pétala e cobertas de suavíssima penugem no entanto sensível à carícia no sentido contrário". O volume eu já sabia que tinha – volume é coisa que nunca faltou por aqui (exceto no meu cabelo, fininho que nem de criança) –, mas a penugem não, até hoje tenho coxas e braços sem pelos de espécie alguma – o que para muitas mulheres pode soar como um verdadeiro sonho, mas que, para mim, na adolescência, foi motivo para colocar mais um item na minha longuíssima lista de frustrações físicas. Porra, por que eu não tenho a porcaria da penugem sensível à carícia em sentido contrário? Que raio de coxa tenho eu, que nem merece o elogio do poeta?

Seja qual for a fonte, praticamente todas nós crescemos extremamente magoadas com nosso próprio corpo. E não é algo que passe nem que sejamos incentivadas a superar, como conversaremos com mais calma adiante.

Pelo contrário: estamos nos tempos das contas de Instagram fitness, das "barrigas negativas" (até pouco tempo atrás eu nunca tinha ouvido falar nessa história e preferia ter continuado na ignorância), das *influencers* que postam seus "looks do dia", suas maquiagens às sete da manhã de uma terça-feira do mês de abril. Como não estar exausta? Como não ficar com uma eterna sensação de dívida? Como não ficar com uma ansiedade gigantesca acerca da própria imagem?

Mas aí eu pergunto: será que tem toda uma indústria por trás disso?

Quem está interessado na sua baixa autoestima?

Vamos falar sobre a dinâmica que a nossa vida tomou. De manhã você acorda e, se tiver um tempinho a mais, pega o seu celular e começa a dar uma olhadinha no Instagram. E aí o que acontece? Vê aquelas tais mulheres que você segue, que logo cedo já estão postando unhas decoradas, cabelos esvoaçantes, roupas estilosas, looks impecáveis. E eis que você mal acordou e já fica se achando uma merda, não é?

Como pode?!
Eu tenho que sair daqui a 10 minutos e não consegui nem pentear o cabelo, as crianças não estão prontas...
Como eu posso ser tão desorganizada?
Olha para elas!
As roupas delas!
Os cabelos delas!
A bunda delas!
As crianças delas!
Tá todo mundo lindo, tá tudo certo!
Ninguém derrubou leite no uniforme e ela lavou o cabelo em vez de passar o raio do xampu seco!
Por que eu não consigo ser como elas?

Só que você não sabe que tem outra(s) pessoa(s) ajudando para deixar as crianças "delas" prontas. Que "elas" estão na academia às seis da manhã exatamente porque a vida delas é voltada para isso. Que "elas" estão com o cabelo lavado porque vão gravar num estúdio. Caramba. A vida "delas" não é a sua!

Como já dissemos, não há nenhum problema no fato de a vida delas ser voltada para a imagem, o problema é acharmos que a nossa vida deveria ser igual à delas. "Olha isso, olha a maquiagem delas! Não tem um defeito!" (Elas têm maquiadores que vão lá de manhã cedo.) "Olha as roupas delas que maravilhosas!" (Elas ganham quase tudo, são os famosos "recebidos".)

No fim das contas, a gente já sabe o que está acontecendo. Ficamos olhando as moças nas redes sociais e pensando: "Nossa senhora, como eu tô feia, como meu cabelo está ruim hoje, como eu tô gorda, quanta celulite espalhada nessa coxa..." A indústria sabe muito bem disso, os fabricantes de cosméticos, as clínicas de estética, os cabeleireiros, todos eles sabem que nós ficamos exatamente assim. E então, o que fazem? Tchan, tchan, tchan, tchan...

Um belo dia você abre os *stories* do Instagram e aquela moça, aquela do cabelão bonito que você segue, fala assim: "Geeeeeente, eu lavei meu cabelo hoje com esse xampu aqui. Nossa, está in-crí-vel, um balanço, um perfume, vocês precisam experimentar! Amei, amei, amei, obrigada marca de xampu querida que eu tanto adoro, amei, tchau."

Naquele mesmo dia, você vai à farmácia para comprar o remédio da tireoide e de repente, quase como num processo de hipnose, fala internamente, com seus botões: "Olha... É o xampu dela..." E então seu braço se estica, arremessa o frasco no cestinho de plástico e, *voilà*, você compra o produto sem nem saber direito se aquilo faz algum sentido. E sabe o que acontece depois?

Seu cabelo *não* fica que nem o dela.

Seus filhos *não* ficam que nem os dela.

Sua bunda *não* fica que nem a dela.

Seu marido *não* fica que nem o dela.

Os móveis da sua sala *não* ficam que nem os dela.

Seu carro *não* fica que nem o dela.

Sua conta bancária *não* fica que nem a dela.

O que será que eu fiz de errado?! Será que eu não usei o xampu do jeito certo? Será que tinha que aplicar duas vezes?

No fundo, a gente acha, mesmo que muito inconscientemente, que, por usar uma coisa que ela usa, comer uma coisa que ela come, fazer um tratamento que ela faz, ficaremos mais parecidas com ela. O que é uma bobagem completa – seja porque isso não é verdade, seja porque nem deveríamos querer parecer outra pessoa que não nós mesmas. Mas nosso inconsciente não está sabendo separar o joio do trigo.

A indústria do mal-estar

Primeiro é o xampu, mas depois é o botox, a criolipólise... (Olha, eu fiz uma vez e não adiantou nada, não gaste seu dinheiro. A minha barriga foi sugada para dentro de um aparelho, parecia filme da Nasa, que coisa horrível. Eu estava deitada e vi as minhas banhas puxadas para dentro daquele negócio. Um horror completo. Fiquei roxa, gastei um dinheirão e não adiantou nada. E era uma clínica respeitadíssima. Credo.) A gente vai fazendo um monte de coisa sem pensar direito, só porque a fulana fez e, na beltrana, em tese, ficou ótimo.

Calma. Se você vai se sentir melhor, se sempre teve um problema com o seu peito, se quer mudar e vai ser feliz com isso, vá em frente. Mas entenda que isso realmente veio de dentro de você, e não surgiu apenas porque você olhou um peito de modelo e achou que o seu deveria ser igual ao dela. Porque, definitivamente, uma boa autoestima não dá lucro para a indústria.

O Brasil é um dos países nos quais mais se faz cirurgia plástica. Olhando o número de cirurgias plásticas realizadas no país entre 2009 a 2016, segundo dados da Associação Brasileira de Cirurgia Plástica (divulgados em 2017), verificamos que o número de intervenções estéticas e de alguns procedimentos não invasivos vem sempre aumentando.

Não é nenhuma surpresa constatar que o público feminino é

bem maior que o masculino no mundo das plásticas, nem que as cirurgias mais realizadas são aumento das mamas, lipoaspiração, abdominoplastia, mastopexia (*lifting* das mamas) e redução dos seios. Ou seja, quase sempre peito e barriga. Outro dado curioso é que em 2016 foram feitos mais procedimentos de "rejuvenescimento vaginal". Caramba, nem a periquita tem sossego mais.

Estou longe de ser uma militante anticirurgia plástica, até mesmo porque já fiz duas. Aos 13 anos corrigi minhas orelhas de abano (depois de inúmeros episódios de choro durante a infância por causa das orelhas de Dumbo, pedi aos meus pais para fazer a cirurgia e eles acharam que fazia sentido – provavelmente me achavam orelhuda pra caramba, mas, tudo bem, as fotos não mentem). Depois, aos 25, fiz redução dos seios. E não me arrependo minimamente de nenhuma das intervenções: pelo contrário, elas foram muito importantes para que eu me sentisse mais segura. Além disso, obviamente, há muitos casos em que as cirurgias são feitas por outras razões, como para reconstruir mamas de mulheres vítimas de tumores, assim como diversas outras correções que não têm a ver apenas com um "não gostar" do próprio corpo, mas sim com situações muito mais delicadas.

O que eu questiono aqui não são as intervenções em si, e sim a assustadora *indústria do mal-estar*, que realmente faz com que a gente se convença de que somente com peitos novos seremos felizes. Se o mundo não nos intoxicasse diariamente com milhares de imagens de corpos inatingíveis, talvez eu pudesse ter sido feliz com meus peitos antigos. Se fôssemos criadas para a autoaceitação, se crescêssemos orgulhosas das garotas que somos, talvez esse agressivo mercado da estética não lucrasse tanto em cima do nosso desconforto.

Tudo isso é comprovado pelos estudos realizados desde 2004 pela Dove (sim, a Dove dos sabonetes). Na primeira pesquisa (realizada em diversos países, inclusive o Brasil), eles descobriram que apenas 2% das mulheres se afirmavam bonitas; já na última, realizada em 2017, esse número aumentou para 4%.[47] A que será que isso se deve? A uma mudança de olhar sobre si mesma ou ao aumento dos procedimentos estéticos? Não sei.

Numa das minhas viagens de Portugal para o Brasil, eu estava numa fase ruim, me achando feia, esquisita, chateada mesmo. Quando cheguei ao Aeroporto de Guarulhos, fui obrigada a fazer aquela manobra sacana, que é ter que passar pelo Duty Free inteiro para sair do aeroporto. Num dado momento, pensei: "Cara, sabe? Eu estou tão chateada comigo, eu *mereço* umas coisinhas novas." Então comprei um batom *matte* marrom (nunca usei isso, nunca usaria, mas a moça falou "Olha, é uma cor incrível, supertendência!"), uma base (eu já tinha três) e um perfume que usava na minha adolescência, que eu achei que poderia me fazer sentir aquela alegria leve e inconsequente dos 17 anos.

Claro: não melhorei, minha autoestima não aumentou, gastei uns belos dólares e percebi que não é no Duty Free que se melhora a autoestima. É na terapia, é na mesa de bar com amigos e conversas francas, é na mudança de hábitos tóxicos, enfim, em outros lugares. Resumindo: ninguém melhora sua autoestima em loja nenhuma. Ninguém se sente melhor a longo prazo porque comprou duas ou três porcarias. Nunca. E a gente está fazendo essa bobagem dia após dia.

Você precisa mesmo odiar o seu corpo?

CERTA VEZ, EU estava passeando em Lisboa com minha mãe e fomos parar em um bairro onde não havia quase ninguém. Parecia uma cidade fantasma, pois era época de férias e o bairro gira em torno de uma grande escola da região. Lá pelas tantas, deu-se o seguinte diálogo:

Minha mãe: – Esquentou hoje, hein?

Eu: – Tempo louco, né? Estava fresquinho de manhã e agora este calorão, loucura... Ô mãe, por que você não tira o casaco?

– Que pergunta, Ruth! Por que que eu não tiro o casaco! Estou de regata por baixo, não me programei para isso.

– Mãe, tá calor, não tem ninguém aqui. Tira o casaco, tá tudo bem.

– Ruth, que coisa ridícula uma mulher da minha idade de regata com este braço.

(Beliscando a parte inferior do próprio braço.)

– Realmente, mãe, eu não queria te dizer nada, mas tem um monte de gente que fica só de butuca, esperando para falar assim: "Gente, olha que ridícula essa mulher de 68 anos que tem um braço um pouco flácido. Nossa, ela não se cuida, você vê, né, como são as mulheres hoje em dia." Mãe, para de besteira, vai. Tira esse casaco!

Minha mãe simplesmente respondeu:

– Eu não posso tirar o casaco.

E não tirou o casaco.

Essas porcarias estão tão enraizadas na gente! Caramba! É mesmo triste. Quantas vezes nós deixamos de tirar o casaco, de usar o short, de entrar na piscina... Tudo por causa de uma cobrança hipotética que a gente julga que o outro tem o direito de fazer a nosso respeito. Isso é doentio. Já não sabemos o que é o nosso próprio desconforto e o que é a preocupação com a opinião alheia.

Isso nos remete à conversa que já tivemos sobre parar de julgar outras mulheres. Se nós soubéssemos que as outras mulheres acolhem as nossas "falhas" e se solidarizam com os nossos "defeitos", talvez não tivéssemos nem metade dos medos que temos de nos expor.

E eu estou aqui falando mal da minha mãe, mas veja bem o que aconteceu comigo. Apesar de ser um país maravilhoso, Portugal é um lugar um pouco difícil de se viver para alguém que nasceu em São Paulo, porque, para mim, sempre vai parecer um pequeno vilarejo. Em qualquer lugar que se vá tem alguém conhecido esperando. Confesso que isso me sufoca um pouco, sou paulistana demais para encontrar conhecidos sem aviso prévio.

E eu descobri uma coisa que nenhum paulistano nunca soube: você pode encontrar, por acaso, um conhecido na praia! Na praia, meu Deus do céu! Pensa nesse perigo, pelo amor de Deus! Desde aquele dia eu confesso que passei a gostar mais do inverno: antes dedos necrosados do que me verem em trajes de banho, né? Vai vendo como a nossa cabeça funciona.

Aconteceu que eu estava tranquilamente com o meu marido na praia e, de repente, vimos um amigo dele chegando. E eu de biquíni. E o homem vindo na nossa direção. E eu de biquíni. E ele vindo. O que eu faço agora, meu Jesus Cristinho?! Meu coração disparou. Só não cavei um buraco na areia porque não tinha pá. Mas, sem pensar muito, peguei minha canga, enrolei cuidadosamente do tornozelo até a raiz do cabelo e só tirei no ano seguinte. *Pelo amor de Deus, aparecer seminua na frente de um amigo dele do banco? Tá de brincadeira? Ele vai me achar maior que a inflação da Venezuela.*

Absurdo, não é mesmo? E isso aconteceu poucos dias depois do episódio do casaco da minha mãe. É o famoso "faça o que eu digo, não faça o que eu faço". No fundo, não há uma de nós que não seja vítima disso tudo. Crescemos com uma relação terrível com nosso próprio corpo e, com o tempo, isso só piora, uma vez que, como dissemos, o mundo não está minimamente interessado em mulheres com uma boa autoestima. Porque mulheres com a autoestima lá em cima dão muito pouco lucro para a indústria. Gente que está se sentindo bem gasta seu tempo sendo feliz, não procurando respostas em produtos que vêm em frascos de plástico.

Precisamos ver mulheres "normais"

É interessante como a tal da "normalidade" é uma coisa que parece estar em vias de extinção. E quando digo "normal", não estou falando de um padrão ideal, estou falando exatamente do oposto. Falando de tudo aquilo que simplesmente não pretende ser ultra--mega-espetacular. Porque parece que agora todo mundo tem que ser fantástico em todos os aspectos da própria vida. Frases de efeito se espalham pelo mundo, exigindo que nós sejamos fantásticas, *amazing*, poderosas, incríveis, *the best*. Credo, que preguiça. A gente não pode ser apenas o que já é?

Isso me faz lembrar um período no qual, no meio do inverno europeu, o aquecedor de água da minha casa quebrou. E o raio da peça que resolvia o problema só chegaria dali a uma semana. Então, durante aquele tempo, passei a tomar banho na academia – coisa que eu sempre detestei, porque nunca dá para secar o pé direito e uns cabelos sempre engancham nos dedos. Enfim, sabe como é. Mas, num dado momento, fui positivamente surpreendida em meio a todo aquele piso úmido. Foi quando eu comecei a perceber que todas aquelas mulheres que saracoteavam de toalha para lá e para cá eram mulheres normais. Normais! Normaizinhas, que nem eu!

Havia dezenas de peitos normais: uns maiores, outros menores, uns mais murchos, outros mais robustos, muitos peitos caidinhos e poucos peitos firmes e tonificados. Havia barrigas normais: umbigos fundos como o meu, umbigos para fora, várias com estrias, algumas com cicatrizes de cesárea, outras com abdômen definido, outras ainda com evidente flacidez. E, sim, aquele já era um cenário viciado: um vestiário de academia, onde há apenas mulheres que, de uma forma ou de outra, fazem exercício físico. Imagine então o que seria um cenário 100% normal, sem vícios. Imagine como poderíamos nos sentir bem se pudéssemos ver os corpos das mulheres normais, como nós, não os das propagandas de lingerie.

O que acontece com a gente é carência de normalidade. A gente passou a achar que o normal é aquilo que a mídia joga no nosso colo e que nós somos verdadeiras aberrações. E não tem perdão para ninguém: essa é muito baixa, aquela é muito alta, essa é muito gorda, aquela é muito magra, essa tem o cabelo muito enrolado, aquela tem o cabelo muito liso. E frequentemente a gente, sem pensar, diz coisas como "Nossa, impossível alguém se sentir mal porque é muito magra. Queria eu me sentir muito magra". Será?

A escritora Tati Bernardi conta, em um de seus textos, sobre as situações em que as pessoas comentavam seu excesso de magreza.

"Nos-sa, que ma-gra, me dá essa di-ca?" Dou, claro! Sete meses de síndrome do pânico, que tal? (...) Eu dou risada, levo na esportiva, antes esquálida que obesa, né? Não. Por dentro estou inflada de pavor e tristeza.[48]

Costumamos esquecer que todo mundo tem as próprias angústias. E pior: tendemos a relativizar a angústia do outro, como se as nossas tivessem mais valor. "Ah, ela tem ataques de ansiedade, mas pelo menos pode usar barriga de fora." Não faz sentido dizer isso, nem mesmo de brincadeira.

Precisamos entender que somos todas vítimas do mesmo sistema do desconforto e da hostilidade. E que enquanto nós não abraçarmos umas as dores das outras, estaremos apenas fortalecendo o sistema que nos oprime e enfraquecendo a nós mesmas.

Múltiplas vozes

Quando nasci um anjo esbelto,
desses que tocam trombeta, anunciou:
vai carregar bandeira.
Cargo muito pesado pra mulher,
esta espécie ainda envergonhada.
Aceito os subterfúgios que me cabem,
sem precisar mentir.
Não sou tão feia que não possa casar,
acho o Rio de Janeiro uma beleza e
ora sim, ora não, creio em parto sem dor.
Mas o que sinto escrevo. Cumpro a sina.
Inauguro linhagens, fundo reinos
– dor não é amargura.
Minha tristeza não tem pedigree,
já a minha vontade de alegria,
sua raiz vai ao meu mil avô.
Vai ser coxo na vida é maldição pra homem.
Mulher é desdobrável. Eu sou.

– ADÉLIA PRADO
"Com licença poética", in: *Bagagem*

Nós falamos demais?

Já se tornou uma espécie de lenda urbana. Um clássico. Um best-seller. "Minha mulher fala demais." E se não for a mulher, é a filha. E se não for a filha, é a mãe. E se não for a mãe, é a irmã. E se não for a irmã, é a colega de trabalho. Não importa. Sempre há alguma mulher para confirmar a tal tese de que nós, mulheres, falamos muito mais do que deveríamos.

Mas será verdade isso? Será que nós cabemos, todas, em mais uma dessas teorias (ou acusações) que buscam nos uniformizar, padronizar e nos fazer caber naquele tal molde que citamos no início do livro?

É claro que não. Todas nós sabemos disso. Mas às vezes esquecemos.

De fato, eu devo admitir que falo muito. Meu marido teria todo o direito de dizer isso a meu respeito. Mas, por outro lado, meu pai não poderia dizer isso sobre a minha mãe. Doutora Maria Eugenia é praticamente monossilábica. Assim como a minha irmã, que fala bem menos do que o marido dela. Já meu irmão fala tanto quanto eu. Bem mais do que a minha cunhada. Enfim, toda essa viagem familiar para dizer que falar muito ou falar pouco é algo que não tem nada a ver com gênero.

Podemos falar muito ou falar pouco por diversas razões. Traços de personalidade. Tipo de criação. Signo. Ascendente. Lua. Posição de Mercúrio no mapa astral. Perfil psicológico. Dor de garganta. Rouquidão. Enfim, há muitas razões para isso. Mas gênero... Não me parece.

O jogo da autocensura prévia

Esses comentários sobre o fato de, em tese, nós falarmos mais do que "deveríamos" por vezes acabam nos convencendo de que realmente o fazemos. E se achamos que falamos demais, passamos a nos policiar nesse sentido. E esse policiamento faz com que a gente entre inconscientemente num perigoso jogo de autocensura prévia.

Será que posso falar?
Será que é o momento?
Será que vou incomodar?
Será que estou sendo inoportuna?
Será que cabe a mim dizer isso?
Será que ele não vai se aborrecer?

Ou seja, voltamos àquela posição de pedir licença, de pedir desculpas pelo simples fato de falar. Voltamos à posição de achar que, se nos ouvem, estão nos fazendo um grande favor, em vez de ser algo tão natural como quando é um homem quem está falando. Isso é tão grave no ambiente profissional quanto no doméstico.

Constatei, nos últimos anos, uma coisa curiosa. Tenho um e-mail público, para me comunicar com os leitores dos textos publicados nos jornais e revistas nos quais escrevo. E é muito interessante reparar na tônica dos e-mails escritos por leitores homens e mulheres.

Os e-mails dos homens costumam ser estruturados assim: "*Olá, Ruth, sou o fulano, de tal cidade. Leio sua coluna e queria dizer que...* (50% das vezes elogio, 50% das vezes crítica). *Um abraço, fulano.*" Simples, não? Acho ótimo, e eles fazem muito bem em se comportar dessa maneira.

Já os e-mails que recebo de leitoras mulheres são completamente diferentes. Posso dizer com tranquilidade que 90% deles começam assim: "*Oi, Ruth, desculpe lhe mandar este e-mail/desculpe ser invasiva/nem sei se um dia você vai ler isto/me perdoe a intromissão, mas meu nome é fulana, eu sou de tal cidade e queria te dizer que...* (99% das vezes elogio). *Me desculpe mesmo por incomodar/não se preocupe em responder/sei que você tem muitas coisas para fazer. Um abraço, fulana."*

Esse fato só confirma (e de forma muito intensa) quão oprimida ainda é a comunicação da mulher. Quanto ainda nos sentimos inseguras para ocupar nossas posições de comunicadoras, certas de que sempre falamos demais, invadimos demais, incomodamos demais. De fato é raríssimo encontrar um homem que tenha essa preocupação, seja qual for o ambiente. Aliás, temos que prestar muita atenção nesta palavra: opressão. Falaremos mais sobre ela no próximo capítulo.

Mas lembro que, a certa altura, publiquei algo a respeito disso nas minhas redes sociais, pedindo às minhas leitoras que parassem de pedir desculpas quando não devem. Que parassem de pedir licença para ocupar um lugar que, por direito, é delas. E que, quando me escrevessem, o fizessem com a mesma segurança e liberdade com a qual os homens o fazem. Meu e-mail é público. As mensagens são bem-vindas. Não peçam desculpas, não peçam licença, digam o que têm a dizer. O espaço é de vocês.

ruthmanus@gmail.com ♥

Socorro. Eu preciso falar com um homem.

Falemos um pouquinho também sobre a nossa dinâmica de comunicação nos relacionamentos com homens – com chefes, maridos, namorados, pais, irmãos e, em certos casos, até filhos. Notemos quantas são as vezes que nós nos questionamos se temos ou não o direito de nos manifestar. E, concluindo que temos esse direito, quantas são as vezes que nos colocamos mil barreiras para dizer o que achamos que precisa ser dito?

É um exercício simples: tente se lembrar de quantas foram as vezes que você se flagrou olhando para um desses homens, em silêncio, pensando em algo importante que você tinha a dizer, mas que poderia ser delicado, causar desconforto ou algum incômodo. Lembre-se das perguntas que você se fez internamente.

Ele está de bom humor... Pode ser um bom momento. Mas eu posso estragar o bom humor dele com esse assunto. Talvez seja melhor deixar para depois. Mas é realmente urgente... Eu não posso deixar passar batido. Mas não. Agora não.

Ou então, por outro lado:

Ele está estressado. Acho que não é um bom momento. Ele não vai estar receptivo... E esse é um tema que ele precisaria ouvir com calma e atenção. Talvez seja melhor adiar. É. Agora não. Agora não.

E assim nós entramos nesse estranho esquema no qual nunca chega a hora certa de falar algo importante. Quando estão mal, é porque estão mal. Quando estão bem, é porque estão bem. E isso também nos leva a um outro caminho perigoso: o de achar que "nem precisamos dizer certas coisas a eles". Porque são óbvias, porque são evidentes, porque nossas atitudes já dizem o bastante. *Spoiler:* não dizem. Essa história de achar que os homens vão captar o que nos incomoda pelo clima que deixamos no ar é uma fria sem tamanho. Via de regra eles não percebem – seja por falta de sensibilidade ou por falta de vontade. E isso, frequentemente, só é uma maneira que encontramos para fugir desse embate. E o embate não é contra os homens. É contra o nosso próprio silêncio.

Pensem se nós nos colocamos essas mil restrições quando a conversa séria é com outra mulher, não com um homem. Sabemos que não. Quando a conversa é com mulher, via de regra, a gente simplesmente vai lá e fala. Mas, quando se trata dos homens, parece que estamos lidando com aquele misto de criança de 3 anos (a tal da infantilização, lembra?) com bomba-relógio, tamanho é o nosso cuidado. Ou será que, em vez de "cuidado", eu deveria dizer "o nosso medo"?

MAS QUE INFERNO, ME DEIXEM FALAR!

Voltamos aqui, inevitavelmente, a falar sobre *manterrupting*. É mesmo um negócio complicado, sobretudo porque chega um momento em que nós ficamos tão, mas tão exaustas, que tendemos a desistir.

Desistir de falar, de argumentar, de defender nossos pontos de vista e, até mesmo, de fazê-los ver quão inoportunos estão sendo.

Algo semelhante ao que aconteceu com Manuela d'Ávila nos debates eleitorais no Brasil em 2018 ocorreu com Marisa Matias, candidata do Bloco de Esquerda, em Portugal, às eleições europeias de 2019. A candidata era interrompida tantas, mas tantas vezes nos debates, que um programa de televisão fez um compilado das numerosas vezes que ela tentava falar e não conseguia.

O vídeo é muito angustiante, sobretudo porque a candidata, em diversos momentos, ficava tão exausta de pedir que a deixassem falar, que simplesmente colocava a cabeça entre as mãos e desistia. Tentava, tentava, tentava e não adiantava. E quantas vezes isso acontece conosco?

Se pensarmos com calma no nosso cotidiano, encontraremos dezenas de exemplos. Dá até medo de pensar muito. Vai desde a mesa de refeição em família até a mesa de reuniões da empresa, passando também pela mesa de bar com amigos. *Posso falar? Posso acabar o que eu estava dizendo? Você pode me ouvir um minutinho?* Pode ser em contexto pacífico ou belicoso. Essa batalha é simplesmente uma rotina.

Perseverar, comprar brigas e persistir apesar de tantas dificuldades não é uma tarefa fácil. É um trabalho diário de resiliência. Nem sempre conseguimos ter a frieza e a paciência necessárias. Por vezes, berraremos "MAS QUE INFERNO, ME DEIXEM FALAR!!!", como eu fiz uma vez durante uma reunião numa agência imobiliária. Outras vezes, suspiraremos cansadas e desistiremos de dizer o que pretendíamos. Tudo bem. Entre falas, berros e alguns momentos de silêncio, vamos encontrando o caminho. O importante é não parar de tentar e entender que você tem todas as razões do mundo para se sentir exausta.

Todos nós temos o mesmo direito de falar

Como dissemos, é mentira que todas as mulheres falam demais. Algumas falam muito, outras falam o necessário, outras falam pouco.

Assim como os homens. Tudo bem, não tem nada de errado nisso, as pessoas são diferentes umas das outras – ainda bem. E as mulheres que falam muito têm tanto direito de o fazer quanto qualquer homem tagarela.

Não temos que nos sentir culpadas ou em dúvida a cada vez que queremos fazer uma observação, seja ela no trabalho, na universidade, na conversa de família, na festa dos amigos. Temos o direito – constitucionalmente garantido, diga-se de passagem – de falar. Homens e mulheres. Todos nós temos o mesmo direito de falar.

Conviver com uma constante culpa por estar falando é uma opressão extremamente violenta. Viver se perguntando se é ou não o momento certo, se é ou não a forma certa é algo muito desgastante e igualmente injusto. Não podemos nos habituar com isso. Porque se a gente se habitua... a nossa tendência é ficar em silêncio.

O que está contido em cada um dos nossos silêncios?

S E NOS CONVENCERAM de que falamos demais, passamos a achar que o certo seria estarmos em silêncio na maior parte do tempo. Em que pese haver uma grande beleza no silêncio, esta só existe quando o silêncio não é fruto de opressão.

No livro *Justice and the Politics of Difference*, Iris Marion Young, professora de Ciência Política da Universidade de Chicago, dedica um capítulo inteiro ao estudo da opressão, denominado "As cinco faces da opressão". As faces que a autora lista são, em resumo: exploração, fraqueza, imperialismo cultural, marginalização e violência.[49]

E é muito interessante pensarmos sobre o silêncio das mulheres sob essa perspectiva. A cada uma das vezes que deixamos de dizer algo – seja por medo, por falta de espaço, por *manterrupting* ou por qualquer outra razão consciente ou inconsciente – estamos colocando em prática as tais cinco faces da opressão de Young.

Em primeiro lugar, a opressão pela exploração da mulher como corpo – sexualmente ou como mão de obra –, sem que nela seja reconhecida uma voz a ser ouvida. Depois, a exploração pela fraqueza, na medida em que há uma espécie de autoridade masculina que se coloca como mais forte quando pretendemos falar e não conseguimos. A opressão através do imperialismo cultural é aquela que legitima o homem como o dono histórico da palavra. A opressão pela marginalização ocorre uma vez que aquelas que não se manifestam como deveriam passam a caminhar passos que não são seus, numa estrada periférica. E, por fim, a opressão por meio da violência, que, a princípio, é moral quando veda o direito à livre manifestação, mas que, em virtude disso, pode chegar a se tornar física, como veremos adiante.

Silenciar alguém é demonstrar poder

Mary Beard, em seu *Mulheres e poder – Um manifesto*, narra o primeiro registro de um momento em que uma mulher foi silenciada. Trata-se de um trecho da *Odisseia* de Homero, que tem quase 3 mil anos. A obra, além de narrar a aventura épica de Ulisses, também narra a história de Telêmaco, filho de Ulisses e Penélope, desde menino, até tornar-se homem.[50]

Num trecho, com Telêmaco ainda muito jovem, sua mãe, Penélope, desce de seus aposentos até o saguão do palácio, onde um músico se apresentava. Como a música não lhe agradava, Penélope solicita que ele escolha algo mais alegre para tocar. Nesse momento, seu jovem filho diz: "Mãe, volte para os seus aposentos e retome seu próprio trabalho, o tear e a roca... Discursos são coisas de homens, de todos os homens, e meu, mais do que qualquer outro, pois meu é o poder nesta casa."

Um filho jovem diz isso para sua experiente mãe, na frente dos convidados. Pois é. Se disséssemos a Penélope que no século XXI ainda estaríamos discutindo esse assunto, creio que ela jogaria a toalha – ou o tal manto que ela cosia e depois desfazia todas as noites enquanto esperava o marido voltar da guerra. Beard ainda faz uma observação muito importante ao pontuar que, na visão de Homero, assumir o controle da fala pública, silenciando as mulheres, era parte essencial do amadurecimento de um jovem homem.

Esse ponto, em especial, deve nos fazer refletir. Para muitos homens, o ato de silenciar uma mulher ainda é uma forma de se posicionar como forte, seguro, dono da situação. Mandar a mãe, a filha, a empregada ou a mulher calarem a boca continua sendo uma forma pela qual homens fracos se convencem de que são fortes.

Magda, Lôraburra, Puta Disfarçada e a mulher "feita apenas para amar, para sofrer pelo seu amor, e para ser só perdão"

Quem aqui se lembra do famoso "Cala a boca, Magda!" dos saudosos tempos do *Sai de Baixo*? E quem se lembra de ter dado risada com esse chavão ou de ter até mesmo repetido essa frase em voz alta?

Ah, Ruth, mas isso era humor, era uma personagem burra mesmo, não problematiza demais.

É verdade. Era uma mulher. Burra. Com um marido igualmente burro, porém malandro, que berrava essa frase (que, analisemos agora, é uma frase de opressão, de marginalização, de violência...) com gosto. E, sim, era um humor sarcástico, porque ele também era estúpido. Voltemos vinte anos no tempo e me digam se essa frase ficou só nas telas da Globo ou se ela foi parar na boca do povo, que gritava, bem-humorado – e sem nenhum indício de crítica sarcástica –, "Cala a boca, Magda!" para tantas outras mulheres em tantas outras situações? Vamos olhar para essas coisas com o valor que elas merecem em 2019.

Paralelamente a isso, nos anos 1990, quem de nós não cantou o imortal "Lôraburra" de Gabriel, o Pensador? Gabriel é um compositor que fez críticas sociais importantes, mas analisemos, com calma e atenção, esses trechos da música que a maioria de nós já cantarolou aos quatro ventos, sem pensar muito no assunto.

Existem mulheres que são uma beleza
Mas quando abrem a boca
Hum que tristeza!
Não é o seu hálito que apodrece o ar
O problema é o que elas falam que não dá pra aguentar
Nada na cabeça
Personalidade fraca
Têm a feminilidade e a sensualidade de uma vaca
Produzidas com roupinhas da estação
(...)

O lugar dessas cadelas era mesmo no puteiro
Só se preocupam em chamar atenção
Não pelas ideias, mas pelo burrão
Não pensam em nada
Só querem badalar
(...)
Não, eu não sou machista
Exigente talvez
Mas eu quero mulheres inteligentes
Não vocês
Vocês são o mais puro retrato da falsidade
Desculpa, amor
Mas eu prefiro mulher de verdade
Você é medíocre e ainda assim orgulhosa
Lôraburra
Não tá com nada e tá prosa
E o seu jeito forçado de falar é deprimente
Já entendi seu problema
Vocês tão muito carentes
Mas eu só vou te usar
Você não é nada pra mim
(Hum, meu amor
Foi bom pra você?)
Ah deixa eu dormir
Pra que dar atenção pra quem não sabe conversar?
Pra falar sobre o tempo ou sobre como estava o mar? Não
Eu prefiro dormir
Sai daqui
Eu já fui bem claro mas vou repetir
E pra você me entender vou ser até mais direto:
Lôraburra, cê não passa de mulher-objeto

Puxado, né? Difícil pensar que a gente já se divertiu com isso, como se não fosse nada de mais. Todavia, Gabriel, em uma entrevista ao G1, em 2017, afirmou:

> A alienação me incomodava muito. Fiz a letra de forma chocante, proposital, para sacudir mesmo a mulher, mas tirei do meu repertório porque minha visão mudou muito. Parei de cantá-la em 2003 pelo mal-estar que eu sentia com o exagero que a letra tem, mesmo que a intenção por trás de tudo fosse pedir para as mulheres se valorizarem. Não fui forçado a isso, nem ninguém me pediu para parar de cantar. Apenas não me sentia bem com algumas frases agressivas, então achei melhor parar de cantá-la há muitos anos, muito antes do politicamente correto e o feminismo ganharem força.[51]

Tudo bem. É legal saber que as pessoas olham para o passado e repensam as coisas – mas seria mais legal se o Gabriel Pensador assumisse que essa é uma música machista PRA CARAMBA e que gerou inúmeras situações de agressão moral para as mulheres. Não são só "algumas frases agressivas". É a ideia em si. A ideia de que o homem tem o direito de determinar se a mulher tem ou não o direito de falar, de acordo com a sua avaliação da qualidade do discurso dela.

Com Marcelo D2, cantor igualmente importante para o Brasil por todos os seus questionamentos sobre a situação do país, aconteceu algo semelhante, com a música "Puta Disfarçada", dos seus tempos de Planet Hemp. Trechos da música afirmavam o seguinte:

Ei, menina, o que você tem na cabeça?
Só quer se maquiar e usar roupas de etiqueta
Parece uma boneca toda fantasiada
Mas quando olho por dentro eu não vejo nada
Você só pensa besteira e fala coisas banais
Conversar com você não me traz nada de mais

Mas eu já disse que te odeio
E se não disse, puta, veja como estou,
Enxugue os olhos e seque suas lágrimas
Eu não quero ver você chorando assim
Você é uma puta disfarçada e não serve pra mim
(...)
Mas eu só quero a sua buceta ou brincar com as suas tetas
Eu nunca tentaria ferir você
Mas você fudeu a minha alma, agora eu vou te fuder
Você é uma puta disfarçada e vai se arrepender.
Eu quero encontrá-la caminhando pela rua
Delirando, resvalando, sem saber por onde vai
Correria ela, passaria adiante
Pararia em sua frente, esperando ela chegar
Esticaria a minha perna só pra ver ela tropeçar
Didarida didiridarida
Didarida didiridarida
É cambaleado, vem tombando lá do alto
Eu disse puta disfarçada, vai com os dentes no asfalto

De doer, né? Se isso não for estímulo à violência, não sabemos o que é. Mais uma vez o conteúdo do que a mulher diz é colocado como algo que deve estar a serviço dos interesses de um homem. E, uma vez que ele julga que "conversar com você não me traz nada de mais", é claro que ela deve ser silenciada.

Marcelo D2, entrevistado pela revista *Marie Claire* em 2019, posicionou-se de forma mais clara:

Marie Claire: Você enxerga machismo no seu trabalho?
Marcelo D2: Em alguns lugares, sim. Tem uma música do Planet [Hemp, banda que comandou por mais de vinte anos] que se chama "Puta Disfarçada", que eu tenho vergonha, a gente não canta desde 1995. Eu fui criado por mulheres que tinham

uma atitude superfeminista, mas tinham um discurso machista. Eu tenho duas filhas, é um exercício diário não ser um machista, eu peço desculpa internamente e o que eu posso fazer daqui pra frente é me policiar e tentar mudar. Dá vergonha, tá ligado?[52]

É importante observarmos quantas e quantas vezes essa mensagem é transmitida e retransmitida. Nesses casos, os cantores assumem – em maior ou menor grau – o erro. O que, deixemos claro, não deve ser tratado como mérito. Fazer o que é certo é o mínimo esperado, sobretudo em casos em que o estrago que as palavras fizeram foi imenso e consumado ao longo de anos e anos.

Esses são só dois exemplos que têm a vantagem de terem sido lançados há mais de duas décadas. Mas também poderíamos olhar para muitas músicas compostas hoje em dia – especialmente no funk, que, embora seja uma manifestação cultural importante para o Brasil, traz coisas verdadeiramente inaceitáveis. E nós precisamos ter uma visão crítica diante de cada palavra que nos é apresentada, seja em forma de música ou não.

É difícil mexermos com isso. Mas é necessário. O "Samba da Bênção", de Baden Powell e Vinicius de Moraes, tem um trecho bem complicado (e, como vocês já sabem, eu sou uma apaixonada pela obra de Vinicius, então essa crítica não é propriamente fácil para mim...). Num dado momento da letra, Vinicius diz:

Senão, é como amar uma mulher só linda. E daí?
Uma mulher tem que ter qualquer coisa além da beleza

Esse trecho até nos dá uma falsa esperança de que o autor esteja preocupado com o intelecto feminino, mas...

Qualquer coisa de triste, qualquer coisa que chora
Qualquer coisa que sente saudade

Um molejo de amor machucado
Uma beleza que vem da tristeza de se saber mulher
Feita apenas para amar, para sofrer pelo seu amor
E para ser só perdão

Vamos lá. "Feita apenas para amar, para sofrer pelo seu amor e para ser só perdão". Caramba. Além da beleza, é claro. Pois no já citado "Receita de mulher", Vinicius começa dizendo "As muito feias que me perdoem, mas beleza é fundamental". Ou seja, mulher serve para o deleite masculino, seja na estética ou no amor. "Beleza é fundamental." Fundamental para quê? Para ser uma boa escritora? Para compor boas músicas? Para descobrir fórmulas matemáticas? Para buscar a cura da aids? Para salvar pessoas no Corpo de Bombeiros? Não me parece.

Sim, Vinicius compôs isso na década de 1960. Eram outros tempos, outras cabeças. E a poesia dele continua sendo brilhante. A pergunta que não quer calar é: será que as coisas mudaram muito de lá para cá? Quantas vezes a mulher ainda é colocada como ser cuja finalidade primordial é agradar ao homem, física e verbalmente, seja ele o Vinicius, o Gabriel ou o Marcelo?

O custo do nosso silêncio

Por quanto tempo ainda iremos figurar como um indivíduo de segunda categoria, que tem não apenas sua voz, mas sua própria existência condicionada à vontade masculina? Cada um dos nossos silêncios tem um custo para todas as mulheres, não somente para nós.

O custo do silêncio é uma questão fundamental. Porque o silêncio não é apenas o ato de não manifestar uma vontade, mas também o ato de não expressar em voz alta os problemas mais graves, as aflições mais profundas. Rebecca Solnit fala sobre isso brilhantemente neste trecho:

As palavras nos unem e o silêncio nos separa, priva-nos da ajuda, da solidariedade ou da simples comunhão que a fala pode solicitar ou provocar. (...) Não poder contar sua história pessoal é uma agonia, uma morte em vida que às vezes se torna literal. Se ninguém ouve quando você diz que seu ex-marido está tentando matá-la, se ninguém acredita quando você diz que está sofrendo, se ninguém escuta quando você pede socorro, se você não se atreve a pedir socorro, se você foi ensinada a não incomodar os outros pedindo socorro. Se consideram que você saiu da linha por falar numa reunião, se não é admitida numa instituição de poder, se está sujeita a críticas improcedentes que trazem implícito que ali não é lugar de mulher ou que mulher não é para ser ouvida. Histórias salvam a sua vida. Histórias são a sua vida. Nós somos as nossas histórias.[53]

Não nos esqueçamos nunca de que nós temos o direito à palavra. E que as palavras são o nosso principal instrumento de liberdade. Sempre que dizemos o que sentimos e pensamos, sempre que manifestamos nossos medos e angústias, sempre que expomos as nossas ideias e verbalizamos os nossos descontentamentos, estamos libertando centenas de outras mulheres junto conosco. Sempre que quebrarmos o silêncio, estaremos mudando o mundo aos poucos.

Pequenas pílulas de liberdade

D EPOIS DE PENSAR sobre todos esses assuntos, é tanta coisa na vida que a gente tem que rever, não é mesmo? Realmente não é uma tarefa fácil. Depois de escrever tudo isso, confesso que eu até fiquei assustada. E o pior: este livro poderia ser apenas o início de uma longa série de divagações. Isto que está aqui é a ponta do iceberg.

Mas, tentando evitar que as leitoras fechem este livro com uma sensação de angústia, achei que valia a pena terminar esta conversa com dez pontos para repetirmos diariamente quase como um mantra. E, sim, são pontos de liberdade. Mas, tratando-se de um livro sobre emancipação feminina, confesso que não resisti ao quase--trocadilho entre pílula e liberdade. Uma coisa leva a outra, não é mesmo? As mulheres que viveram antes de 1960 que o digam.

Mas vamos pensar nestes "mantras-pílulas" como pensamos em qualquer comprimido que tomamos de manhã. São frases para nos acompanharem desde o momento em que saímos da cama até o momento de nos deitar de novo. E eu espero sinceramente que elas nos ajudem a alcançar dias mais leves e mais justos.

Questione todas as ideias que teoricamente nasceram com você

Tem muita coisa que a gente, em tese, "já nasceu sabendo". Ou seja, coisas que nos foram transmitidas como verdades incontestáveis, mas que, no fundo, não são. Muito pelo contrário. São ideias que precisamos desconstruir para buscar as nossas próprias verdades, os nossos próprios caminhos.

Será que é isso mesmo que eu quero?

Será que esta vida que estou vivendo é a vida que eu gostaria de viver?

Será que sou tratada da forma como gostaria de ser?

Será que os sonhos que eu julgo ter são realmente meus?

Ou eles foram enfiados na minha cabeça desde o dia em que eu nasci?

Será que estou condicionando minha felicidade a elementos que, no fundo, nem me importam?

Será que eu realmente preciso aceitar todas essas amarras dentro das quais estou vivendo?

Tente desmontar tudo, como um quebra-cabeça, questione tudo aquilo que já veio incutido na gente. Olhe para o mundo com olhos que são só seus. Os únicos olhos que já viveram o que você viveu e sentiram o que você sentiu. Use suas vivências, as boas e as ruins, para se perguntar:

Será que é assim mesmo?

Será que era para ser assim?

Será que é bom que seja assim?

Ou será que há outro caminho possível?

Spoiler: sempre há outro caminho possível.

Diga o que você acredita que tem que ser dito

A cada vez que você sentir um incômodo com o que está sendo feito ou dito perto de você – um comentário preconceituoso, uma piada machista ou homofóbica, a perpetuação de velhos estereótipos, um homem interrompendo a fala de uma mulher –, seja "a chata da mesa", porque são os chatos que mudam o mundo.

Gente que é legal 100% do tempo, que não incomoda ninguém, que nunca se indispõe, não muda nada. Todos nós precisamos ser os "chatos" de vez em quando, gerar alguns incômodos nos outros ao longo da nossa vida. Provoque, aponte, acuse e defenda. Só não precisa estapear, ok? (Porque, sejamos sinceras, às vezes – muitas vezes – dá vontade.)

Mas diga o que tem que ser dito.

Todas nós reconhecemos perfeitamente essas situações (até porque elas costumam aparecer todo santo dia).

Coragem.

Defenda com unhas e dentes aquilo em que você acredita

É preciso se posicionar em certos momentos. Há coisas que não podemos tolerar, porque tolerar muitas vezes é o mesmo que anuir. Se isso custar algumas amizades ou até mesmo um relacionamento, paciência. É chato, mas faz parte da vida.

O que não dá para fazer é abrir mão das coisas em que você genuinamente acredita em nome da política da boa vizinhança. Quando isso acontece, você vai mantendo tudo aqui fora, mas por dentro vai morrendo um pouquinho a cada dia.

Escolha as suas batalhas e lute-as. Há coisas que podemos deixar barato. E há outras que merecem nosso tempo, nosso esforço e um preço que, muitas vezes, será bastante alto.

Precisamos de alguns pilares na nossa vida. Convicções que dão base a tudo que construiremos por cima delas. Escolha suas convicções mais profundas, agarre-se a elas e defenda-as como se fossem parte integrante do que você é. Até porque elas efetivamente são.

Seja menos responsável, faça coisas erradas, falhe de vez em quando

Eu fiquei bem doente quando tinha 23 anos. Tive uma bactéria que demorou algum tempo para ser diagnosticada. Enquanto isso, perdi 6 quilos em um mês. ("Nossa, quero uma bactéria dessas" – não, amiga, vai por mim, você não quer. Você quer é estar bem e saudável, não magra e doente.) No começo, ninguém sabia bem o que era, eu tinha falta de ar e não conseguia engolir os alimentos. Passei dois anos em tratamento.

Quando eu estava na fase mais crítica desse processo, entrei em um avião, voltando de Brasília, e comecei a corrigir provas de uma das faculdades onde dava aula. Na poltrona ao meu lado estava uma mulher que me olhou durante bastante tempo, com um ar de quem me avaliava.

Achei esquisito, mas dado o meu mau aspecto, já não me impressionava com olhares curiosos. Depois de alguns minutos, começamos, eu e ela, a conversar. Para encurtar a história: ela era uma importante cardiologista de São Paulo e, pela minha cara, viu que eu estava doente. Contei para ela que já estava sendo tratada e medicada.

Foi então que ela me perguntou se eu realmente precisava corrigir aquelas provas naquele avião, se eu não podia descansar nem um pouquinho. Eu logo comecei a argumentar que aquilo era urgente e que eu não poderia atrasar aquela entrega. Foi então que aquela mulher me disse esta frase genial: "Quanto mais responsável você for, mais responsabilidades recairão sobre você."

Sabe aquela pessoa com quem todo mundo sabe que pode contar? Que entrega tudo no prazo, que não para um segundo quando está no trabalho? Que sempre atende o celular e responde aos e-mails rapidamente? Sabe para quem vão pedir socorro quando houver um problema num domingo à tarde ou numa quinta-feira às 23h30? Para essa pessoa.

Sabe aquela mãe impecável, cujo filho nunca fica sem banho, nunca deixa de escovar os dentes, nunca leva uma lição atrasada para a escola? Sabe com quem todo mundo quer deixar os filhos quando precisa? Com ela. Sempre com ela.

Seja menos responsável, faça coisas erradas de vez em quando, se dê o direito de falhar, faça com que as pessoas tenham alguma dúvida se você é tão ponta firme assim, tá? É bom. É necessário.

Permita-se mudar de ideia

Será que eu quero ter filhos?

Será que eu quero me casar?

Será que eu gosto de homem?

Será que não posso ter uma vida maravilhosa de solteira, viajando e fazendo várias coisas e vários amigos e vários projetos?

Será que eu quero ficar rica?

Será que eu ligo tanto assim para a carreira?

Será que eu quero comprar um imóvel?

Será que eu quero morar junto com ele?

Será que eu realmente ligo tanto assim para bolsas?

Lembre-se de questionar se os seus supostos sonhos são efetivamente seus ou se você simplesmente os acatou, sem valoração. Se não forem verdadeiramente seus, deixe de persegui-los. A vida é curta demais para isso.

Mudar de ideia é lindo. Descubra quem você realmente é e aquilo que ainda quer ser. Invista naquilo que faz algum sentido para você, não naquilo que o mundo resolveu que você tem que querer.

Não se culpe

Não se culpe por estar cansada. Não se culpe por falhar. Não se culpe por estar insatisfeita. Não se culpe por uma fatia de bolo de cenoura. Não se culpe por falar alto numa reunião de trabalho. Não se culpe por querer deixar seu filho uns dois (ou vinte) dias na casa dos avós. Não se culpe por haver louça na pia. Não se culpe por atrasar um prazo. Respire. Se acalme. Culpa não resolve nada.

Outro dia eu estava em São Paulo, atolada de trabalho, angustiada com as minhas pendências, e minha irmã apareceu com a Luísa, filha dela, minha afilhada. Elas iam à Loja do Mel, na quadra ao lado, comprar mel, como é óbvio.

Eu disse que queria ir com elas, mas não podia, porque tinha muita coisa para fazer, e me sentiria muito culpada de atrasar ainda mais. Então pensei: "Se eu não for, vou ficar chateada. Quero estar com elas. Quero caminhar 10 minutos no sol. Quer saber? Eu vou gastar 15 minutos com isso PORQUE EU QUERO. Porque é importante para mim. Porque vai me fazer bem. EU. VOU. COMPRAR. O. *FUCKING*. MEL. COM. ELAS."

Fui comprar mel. E posso contar uma coisa? O trabalho esperou. Loucura, né? Comprei mel, mas parecia que eu tinha conquistado o mundo.

Compre seu mel sem culpa. Escolha suas prioridades e não se angustie por isso.

Cuide de você mesma

Cuide de você mesma, em todos os aspectos. Corpo, cabeça, alma, agenda, prazeres. Como dissemos lá atrás, nós, mulheres, frequentemente deixamos de dar prioridade ao que é verdadeiramente nosso para priorizar o que é dos outros, nos colocando sempre no final da fila.

Frequentemente parece que tudo vem antes da gente: o vazamento da cozinha vem antes da sua consulta médica, você cancela um café porque veio o pedreiro, a reunião do seu marido vem antes da sua – a sua pode ser mudada de horário, a dele é impreterível –, e aí tudo vai indo para o final da fila enquanto todo o resto vem antes de você.

Cuide de si mesma. Quem está exausta e sem saúde não cuida de absolutamente ninguém. Máscara de oxigênio. Bolachinhas. Nunca esqueça.

Pare de julgar outras mulheres

Mulheres cuidam de mulheres. Sororidade.

Vamos parar de julgar, de apontar. Vamos olhar para as outras mulheres com um sentimento de identidade. Sempre penso no meu pai, que, quando está dirigindo e vê um conhecido na rua, nunca dá uma buzinadinha para dar oi. Mas se ele cruza com alguém com a camisa do São Paulo, pi pi pi pi pi pi. Identidade, sabe? Ele sente pertencimento em relação àquela camisa. Ele olha para os outros são-paulinos com olhos de igual.

E é isso que precisamos sentir quando vemos outra mulher na rua. A primeira coisa é pensar: "Somos do mesmo time, somos semelhantes." Quando pensamos assim, a empatia vem naturalmente e a tendência a julgar em vez de acolher vai se afastando cada vez mais.

Precisamos disso. Precisamos muito.

Estabeleça limites

Delimite claramente até onde as pessoas podem ir na sua vida. A pergunta indispensável para isso, como bem nos lembra Rebecca Solnit, é: "Por que você está me perguntando isso?"

Em muitas situações nas quais me angustiei, me constrangi, briguei e argumentei, eu podia ter dito apenas: "Por que você está me perguntando isso?" É preciso acabar com essa ideia de que a vida da mulher é patrimônio público.

Ninguém tem o direito de nos invadir com perguntas – muito menos com afirmações – que nos expõem, nos embaraçam e fazem com que nos sintamos mal na frente dos outros (ou com nós mesmas).

Estabeleça qual é a linha que as pessoas não podem ultrapassar quando se trata da sua vida. E defenda-a, porque isso é um direito seu.

A luta está só no começo

E, para acabar, é preciso lembrar que a luta está muito longe do fim. Enquanto não formos, *todas*, mulheres livres, teremos, *todas*, uma liberdade condicionada.

Mulheres brancas, negras, asiáticas, indígenas. Mulheres cristãs, judias, muçulmanas, budistas ou de qualquer outra religião ou não religião. Mulheres do Hemisfério Norte ou do Hemisfério Sul. Mulheres heterossexuais, homossexuais, bissexuais. Mulheres que nasceram com o sexo feminino no registro ou mulheres que adotaram o gênero feminino ao longo da vida. Mulheres ricas, mulheres pobres. Não importa. Enquanto uma de nós não usufruir da liberdade, seguimos todas sendo prisioneiras. Pensar que a luta está muito longe do fim é uma espécie de combustível para a gente.

Então, quando o despertador tocar de manhã cedo – e nós sabemos que provavelmente ainda estaremos exaustas –, em vez de falar "Ahhh, não" e pensar "O que eu tenho para fazer hoje, será que eu posso dormir um pouco mais?", podemos simplesmente pensar: "Eu tenho um mundo para mudar e acho que essa é uma ótima razão para estar de pé."

Vamos lá. A luta é todo dia. Há milhões de mulheres que precisam de você. Inclusive eu. E você também precisa de todas nós. Ainda bem que estamos juntas.

Agradecimentos

S EMPRE ESTIVE CERCADA de mulheres fantásticas às quais sou in-finitamente grata. Cresci cercada por elas, e surpresa seria se eu não as amasse. Vivendo junto com essas figuras, seria impossível não olhar para as mulheres como amigas, parceiras, fontes de suporte e de solidariedade. Se hoje eu estou fazendo isso, é por causa delas.

Minha mãe, Maró, inspiração na força e na imensidão do seu amor.

Minha irmã, Nina, inspiração de praticidade, de serenidade e do indispensável deboche.

Giulia, minha irmã italiana, inspiração de leveza e de estudo sorridente.

Minha avó Rita, inspiração de afeto e grandiosidade por todos os lados.

Minha avó Ruth, que não conheci pessoalmente, mas que vive como inspiração em memórias de poesia para quem merecia e vassouradas em quem abusasse.

Minha tia Rê, inspiração de dedicação aos outros e generosidade todos os dias.

Minha tia Adelia, inspiração de liberdade e independência em todas as idades.

Minha tia Ruth, inspiração de afeto e classe em todas as situações.

Ju e Bia, inspiração de irmandade e parceria.

Tita, inspiração de como olhar para o mundo de forma tão equilibrada.

Lê, minha cunhada, inspiração de solidez e bom humor, haja o que houver.

Rita, minha sobrinha mais velha, inspiração de alto-astral e inteligência, desde tão cedo.

Luísa, minha sobrinha do meio e afilhada, inspiração de doçura num nível que nunca vi antes na vida – e que acho que nunca verei em outra pessoa.

Pipa, minha sobrinha mais nova, inspiração por ter começado a sorrir com 3 horas de vida e nunca mais ter parado.

Francisca, minha enteada, inspiração de autenticidade e de amor fora do óbvio.

Joana, minha sogra, inspiração de trabalho e de resiliência.

Joana, minha cunhada, inspiração de cuidado e de delicadeza.

A cada uma das mulheres que posso chamar de amigas – e que sabem perfeitamente quem são – e que formaram a pessoa que sou.

A toda a equipe da revista *Glamour*, que vem me fazendo gostar ainda mais de ser mulher.

À Nana, por ser uma das melhores profissionais que já vi na vida.

À Natali, por suas mãos e cérebro preciosos.

À Luiza, por ajudar com tudo e mais um pouco.

A toda a equipe da Sextante, minha casa.

Bibliografia

ADICHIE, Chimamanda Ngozi. *Sejamos todos feministas*. São Paulo: Companhia das Letras, 2015.

_____. *Para educar crianças feministas: um manifesto*. São Paulo: Companhia das Letras, 2017.

ANGELOU, Maya. *Phenomenal Woman: Four Poems Celebrating Women*. New York: Random House, 1995.

BEARD, Mary. *Mulheres e poder – Um manifesto*. São Paulo: Crítica, 2018.

BEAUVOIR, Simone de. *O segundo sexo* – Volumes 1 e 2. Lisboa: Quetzal Editores, 2015.

BELEZA, Teresa Pizarro. *Direito das mulheres e da desigualdade social: a construção jurídica das relações de género*. Coimbra: Almedina, 2010.

BENETT, Jessica. *Clube da luta feminista*. Rio de Janeiro: Rocco, 2018.

BERNARDI, Tati. *Homem-objeto e outras coisas sobre ser mulher*. São Paulo: Companhia das Letras, 2018.

BREEN, Marta e JORDHAL, Jenny. *Mulheres na luta: 150 anos em busca de liberdade, igualdade e sororidade*. São Paulo: Seguinte, 2019.

BROWN, Brené. *A coragem de ser imperfeito*. Rio de Janeiro: Sextante, 2016.

BUARQUE DE HOLLANDA, Heloisa. *Explosão feminista: arte, cultura, política e universidade*. São Paulo: Companhia das Letras, 2018.

CORALINA, Cora. *Vintém de cobre* (publicado originalmente em 1983). São Paulo: Global, 2010.

DALLARI, Dalmo de Abreu. *Os Direitos da Mulher e da Cidadã por Olímpia de Gouges*. São Paulo: Saraiva, 2016.

DEL PRIORE, Mary. *Histórias e conversas de mulher*. São Paulo: Planeta, 2013.

DINIZ, Maria Helena. *Dicionário Jurídico*, Volume 2. São Paulo: Saraiva, 1998.

FRASER, Nancy. *Fortunes of Feminism: From State-Managed Capitalism to Neoliberal Crisis*. Nova York: Verso, 2013.

GARCIA, Carla Cristina. *Breve história do feminismo*. São Paulo: Editora Claridade, 2011.

GIORGI, Beatriz di; PIMENTEL, Silvia e PIOVESAN, Flávia. *A figura/personagem mulher em processos de família*. Porto Alegre: Sergio Antonio Fabris Editor, 1993.

HAONNE, Ellora. *Por todas nós: conselhos que não recebi sobre luta, amor e ser mulher*. Bauru: Astral Cultural, 2018.

HIRATA, Helena [et al.] (orgs.). *Dicionário crítico do feminismo*. São Paulo: Editora UNESP, 2009.

HOLLAND, Julie. *Mulheres em ebulição*. Rio de Janeiro: Sextante, 2015.

HOOKS, bell. *O feminismo é para todo mundo: políticas arrebatadoras*. Rio de Janeiro: Rosa dos Tempos, 2018.

HUSSON, Anne-Charlotte e MATHIEU, Thomas. *Le Féminisme*. Bruxelas: Le Lombard, 2016.

KAUR, Rupi. *Outros jeitos de usar a boca*. São Paulo: Planeta, 2017.

KRIEGEL, Fabienne (org.). *Déclaration des droits de femmes illustrée*. Vanves: Éditions du Chêne, 2017.

LISAUSKAS, Rita. *Mãe sem manual*. Caxias do Sul: Belas Letras, 2017.

OBAMA, Michelle. *Minha história*. Rio de Janeiro: Objetiva, 2018.

PORTAS, Mary. *Work Like a Woman*. Londres: Penguin Random House, 2018.

PRADO, Adélia. *Bagagem*. Rio de Janeiro: Record, 2003.

QUEIROZ, Nana (org.). *Você já é feminista! Abra este livro e descubra o porquê*. São Paulo: Pólen Livros, 2016.

RIBEIRO, Djamila. *O que é lugar de fala?* Belo Horizonte: Letramento: Justificando, 2017.

_____. *Quem tem medo do feminismo negro?* São Paulo: Companhia das Letras, 2018.

RODRIGUES, Amália. *Versos.* Lisboa: Cotovia, 2016.

SOLNIT, Rebecca. *A mãe de todas as perguntas: reflexões sobre os novos feminismos.* São Paulo: Companhia das Letras, 2017.

_____. *Os homens explicam tudo para mim.* São Paulo: Cultrix, 2017.

THE SCHOOL OF LIFE. *Relacionamentos.* Rio de Janeiro: Sextante, 2018.

TIBURI, Marcia. *Feminismo em comum: para todas, todes e todos.* Rio de Janeiro: Rosa dos Tempos, 2018.

VEIGA, Patrícia Motta. *Afinal as feministas até gostam de homens.* Barcarena: Manuscrito, 2018.

VIDAL, Catherine. *Cerveau, Sexe et Préjugés.* Paris: Fondation Calouste Gulbenkian – Délégation em France, 2015.

WOLF, Naomi. *O mito da beleza.* Rio de Janeiro: Rosa dos Tempos, 2018.

WOOLF, Virginia. *Profissões para mulheres e outros artigos feministas.* Porto Alegre: L&PM Pocket, 2012.

YOUNG, Iris Marion. *Justice and the Politics of Difference.* Princeton: Princeton University Press, 2011.

Notas

1. MANUS, Ruth. "A angustiada geração de mulheres que sente culpa pelo próprio sucesso", in: *Observador*, 9 de junho de 2018.
2. HOLLAND, Julie. *Mulheres em ebulição*. Rio de Janeiro: Sextante, 2015. p. 9.
3. GARCIA, Carla Cristina. *Breve história do feminismo*. São Paulo: Claridade, 2011. p. 25.
4. Catherine Vidal cita, em seu livro *Cerveau, sexe et préjugés*, a matéria da revista *Time* de março de 2005 que traz a fala de Lawrence Summers.
5. MANUS, Ruth. "Mulheres não são chatas, mulheres estão exaustas", in: *Observador*, 25 de novembro de 2017.
6. HOOKS, bell. *O feminismo é para todo mundo*. Rio de Janeiro: Rosa dos Tempos, 2018. p. 12.
7. GARCIA, Carla Cristina. Op. cit., p. 24.
8. François Poulain de la Barre, nascido em Paris em 1647, foi um filósofo cartesiano e escritor, conhecido por ser um dos primeiros a questionar as diferenças de gênero, tendo publicado em 1673 o livro *De l'égalité des deux sexes* [Sobre a igualdade dos sexos], denunciando a injustiça no tratamento das mulheres.
9. DALLARI, Dalmo de Abreu. *Os direitos da mulher e da cidadã por Olímpia de Gouges*. São Paulo: Saraiva, 2016. p. 39.
10. HUSSON, Anne Charlotte e MATHIEU, Thomas. *Le Féminisme*. Bruxelas: Le Lombard, 2016. p. 21.
11. DALLARI, Dalmo de Abreu. *Os direitos da mulher e da cidadã por Olímpia de Gouges*. São Paulo: Saraiva, 2016. p. 136.

12. DALLARI, Dalmo de Abreu. Op. cit., p. 141.

13. RIBEIRO, Djamila. *O que é lugar de fala?* Belo Horizonte: Letramento, 2017. p. 39.

14. BAHIA, Letícia. "Sororidade: a união faz a força", in: QUEIROZ, Nana (org.). *Você já é feminista!* São Paulo: Pólen Livros, 2016. p. 53.

15. ADICHIE, Chimamanda Ngozi. *Sejamos todos feministas.* São Paulo: Companhia das Letras, 2015. p. 49.

16. TIBURI, Marcia. *Feminismo em comum: para todas, todes e todos.* Rio de Janeiro: Rosa dos Tempos, 2018.

17. MANUS, Ruth. *Um dia ainda vamos rir de tudo isso.* Rio de Janeiro: Sextante, 2018. p. 152-3.

18. VEIGA, Patrícia Motta. *Afinal, as feministas até gostam de homens.* Barcarena: Manuscrito, 2018. p. 72.

19. MANUS, Ruth. Op. cit., p. 153.

20. MANUS, Ruth. Op. cit., p. 153.

21. SOLNIT, Rebecca. *A mãe de todas as perguntas.* São Paulo: Companhia das Letras, 2017. p. 13.

22. MANUS, Ruth. "Homens: os eternos bebês da sociedade", in: *Observador,* 7 de junho de 2019.

23. SOLNIT, Rebecca. Op. cit., p. 19.

24. BROWN, Brené. *A coragem de ser imperfeito.* Rio de Janeiro: Sextante, 2016. p. 67.

25. ADICHIE, Chimamanda Ngozie. *Para educar crianças feministas.* São Paulo: Companhia das Letras, 2017. p. 14.

26. LISAUSKAS, Rita. *Mãe sem manual.* Caxias do Sul: Belas Letras, 2017. p. 87.

27. BELEZA, Teresa Pizarro. *Direito das mulheres e da igualdade social.* Coimbra: Almedina, 2018. p. 21.

28. "O Código Civil de 2002 reafirmou o preceito constitucional de que o casamento é baseado na igualdade de direitos e de deveres dos cônjuges. Nesse sentido, ambos são responsáveis pelos encargos da família." MAGALHÃES, Livia. "Os direitos e deveres da mulher no contexto familiar". In: QUEIROZ, Nana (org.), op. cit., p. 172.

29. "Essa noção foi primeiramente utilizada pelos etnólogos para designar uma repartição 'complementar' das tarefas entre homens e mulheres nas sociedades que estudavam. Lévi-Strauss fez dela o mecanismo explicativo da estruturação da sociedade em família. Mas as antropólogas feministas foram as primeiras que lhe deram um conteúdo novo, demonstrando que traduzia não uma complementaridade de tarefas, mas uma relação de poder dos homens sobre as mulheres. (...) A divisão sexual do trabalho (...) tem por característica a destinação prioritária dos homens à esfera produtiva e das mulheres à esfera reprodutiva e, simultaneamente, a ocupação pelos homens das funções de forte valor social agregado (políticas, religiosas, militares etc.).

Essa forma de divisão social do trabalho tem dois princípios organizadores: o da separação (existem trabalhos de homens e outros de mulheres) e o da hierarquização (um trabalho de homem 'vale' mais do que um de mulher)." KERGOAT, Danièle. "Divisão sexual do trabalho e relações sociais de sexo". In: *Dicionário crítico do feminismo*. São Paulo: Editora UNESP, 2009. p. 67.

30. Fonte: https://agenciadenoticias.ibge.gov.br/agencia-noticias/2012-agencia-de-noticias/noticias/20234-mulher-estuda-mais-trabalha-mais-e-ganha-menos-do-que-o-homem. Acesso em: 27 dez. 2018.

31. VEIGA, Patrícia Motta. Op. cit., p. 31.

32. BERTHO, Helena e QUEIROZ, Nana. "A Revolução vai acontecer na pia". In: op. cit., p. 143.

33. MANUS, Ruth. Op. cit., p. 220.

34. DEL PRIORE, Mary. *Histórias e conversas de mulher*. São Paulo: Planeta, 2013. p. 94.

35. THE SCHOOL OF LIFE. *Relacionamentos*. Rio de Janeiro: Sextante, 2018. p. 8.

36. SOARES, Nana. "Ruim não é se intrometer em briga de marido

e mulher, ruim é mulher morrer por ninguém fazer nada". In: *O Estado de S. Paulo*, 9 de agosto de 2018.

37. ADICHIE, Chimamanda Ngozie. Op. cit., 2017. p. 40.

38. SOLNIT, Rebecca. *Os homens explicam tudo para mim*. São Paulo: Cultrix, 2017. p. 14.

39. Disponível em: https://g1.globo.com/economia/concursos-e--emprego/noticia/mulheres-ganham-menos-que-os-homens--em-todos-os-cargos-e-areas-diz-pesquisa.ghtml. Acesso em: 13 nov. 2018.

40. *The Angry Black Woman: The Impact of Pejorative Stereotypes on Psychotherapy with Black Women*. Disponível em: https://www.ncbi.nlm.nih.gov/pubmed/24188294. Acesso em: 13 mai. 2019.

41. OBAMA, Michelle. *Minha história*. Rio de Janeiro: Objetiva, 2018. p. 282.

42. BENETT, Jessica. *Clube da luta feminista*. Rio de Janeiro: Rocco, 2018. p. 44.

43. PORTAS, Mary. *Work Like a Woman*. Londres: Penguin Random House, 2018. p. ix.

44. BEARD, Mary. *Mulheres e poder – Um manifesto*. São Paulo: Crítica, 2018. p. 62.

45. HAONNE, Ellora. *Por todas nós: conselhos que não recebi sobre luta, amor e ser mulher*. Bauru: Astral Cultural, 2018. p. 18.

46. WOLF, Naomi. *O mito da beleza*. Rio de Janeiro: Rosa dos Tempos, 2018. p. 29.

47. Disponível em: http://www.clubofamsterdam.com/contentarticles/52%20Beauty/dove_white_paper_final.pdf. Acesso em: 4 dez. 2018.

48. BERNARDI, Tati. *Homem-objeto e outras coisas sobre ser mulher*. São Paulo: Companhia das Letras, 2018. p. 140.

49. YOUNG, Iris Marion. *Justice and the Politics of Difference*. Princeton: Princeton University Press, 2011. p. 48.

50. BEARD, Mary. Op. cit., p. 15.

51. Disponível em: https://g1.globo.com/rio-de-janeiro/noticia/no-

-dia-das-mulheres-elas-comentam-musicas-que-consideram-
-politicamente-incorretas.ghtml. Acesso em: 19 jun. 2019.

52. Disponível em: https://revistamarieclaire.globo.com/Cultura
/noticia/2019/05/marcelo-d2-e-um-exercicio-diario-nao-ser-
-um-machista-hetero-babaca.html. Acesso em: 19 jun. 2019.

53. SOLNIT, Rebecca. Op. cit., p. 28.

Um dia ainda vamos rir de tudo isso

Ruth Manus possui o raro talento dos cronistas capazes de produzir textos instigantes a partir de assuntos banais: uma conversa entre amigas pelo WhatsApp, uma ligação para um salão de beleza ou as dificuldades de comunicação de uma brasileira em Portugal.

Mas talvez mais notável ainda seja a capacidade incomum de Ruth de escrever com sagacidade e sutileza sobre assuntos nada banais: padrões estéticos, Direito do Trabalho, machismo e outras questões contemporâneas não só pertinentes como necessárias.

Um dia ainda vamos rir de tudo isso é uma coletânea de crônicas publicadas no blog do Estadão, em sua coluna no *Estado de S. Paulo* e no jornal *Observador*, de Lisboa, além de algumas inéditas. O que o leitor tem em mãos não é apenas uma seleção de textos, e sim um retrato do nosso tempo, por uma das mais destacadas cronistas da nova geração.

Para saber mais sobre os títulos e autores
da Editora Sextante, visite o nosso site.
Além de informações sobre os próximos lançamentos,
você terá acesso a conteúdos exclusivos
e poderá participar de promoções e sorteios.

sextante.com.br